庫

青葉繁れる

井上ひさし

文藝春秋

目次

青葉繁れる

一

稔の家から学校まで、ゆっくり歩いても五分とはかからないのだが、彼はその通学路を、高足駄をごろごろ引き摺《ず》りながら、十分も十五分もかけてのんびりと歩くのが癖になっていた。

稔のこの癖は、いわば比例の法則の上に成り立っていた。彼の通学する県立の男子高校のある通りには、もうひとつ県立の女子高校があり、登校時になると青色の制服の女子高生で溢れ、城下町時代からあるその通りは地味な灰色のたたずまいから一気に陽気な青一色に変ってしまう、つまり、時間をかけて歩けばかけた分だけ、大勢の女子高生と行き交うことが出来、その分だけ余計に彼女たちの制服の埃《ほこり》っぽい匂いを嗅《か》ぐことが出来るわけで、それが稔には無上の愉《たの》しみなのだった。

頭のよさそうな女の子と出っ会《くわ》すと、稔はとっさに夢想した。

（たぶんああいう子は東大生なんかに弱いんだろうなぁ）

こう口の中で呟《つぶや》くのが、夢想の世界に没入するきっかけの呪文の文句で、呟くと同時に、稔の脳裏に銀杏の襟章を付けた一年後の自分の凛々《りり》しい東大生姿がたちまち浮び上がる。稔の夢想の世界の時間割によれば、東大生になって初めての夏休み、帰省中の彼は、おそらく七夕祭でごった返す市内の目抜き通りの書店の店頭あたりで、その女子高生と邂逅《かいこう》することになるはずだった。彼女は傍《そば》に立ってぱらぱらと本の頁をめくる学生の白いワイシャツの胸に、燦《さん》として銀杏のバッジの輝くのを見て、まあ、と声にならない声をあげるに違いない。

（なんてすてきな銀杏のバッジ！　でも、この東大生とどこかで前に逢ったことがあるわ。どこで逢ったのかしら？）

稔はまさにこのときに彼女に声をかけるはずである。

「きみは二女高に通っていませんでしたか。ぼくはお隣の一高生でした。通学の途中でよくお逢いしましたね？」

夏休みまでの三カ月間の東京生活で、そのときの稔は、洗練された物腰と歯切れのよい標準語をものにしているはずだ。それになにより凄い銀杏の魅力、彼女は「ちょっと歩きませんか」という彼の誘いを光栄とさえ思い、ふたつ返事で後に蹤《つ》いてくることだろう。散歩の場所はどこがいいだろうか。稔は広瀬川畔から青葉城趾にかけていくつかの草叢《くさむら》があったことを思いつく。女の子との散策は青葉城趾へ向うがよい。彼は歩きながら彼女に、階段教室で講義をする教授たちの小さな愛すべき癖や、東大の学生寮のお話にならない乱雑さや、知的な刺激と冒険に充ちた寮の東大生たちとの交際について語ることになるはずだ。城の趾《あと》に二人が立つころ、すでに陽は西風蓄山《ならい》の向うに落ちて、涼やかな夏の夕風が周囲の高木の葉をさやさやと鳴らしはじめることだろう。行動を起すのはそのときだ。あくまで優しく、しかし寸秒のためらいもなく、彼女を草叢に押し倒し、細い腰からスカートを毟《むし》り奪《と》るだろう。

彼女は抵抗するだろうか。おそらくすることはするだろう、だが、その抵抗はすぐ鎮まるはずだ。秀才好きの女の子は揉み合ううちに、銀杏のバッジでブラウスの上から乳房の上を押され擦《こす》られ、ついには切なそうに息をつき、やがて稔にしがみついてくるはずだ……。

ここで稔は横を通りぬけようとしていた頭のよさそうな女子高生、つまり自分の夢想の中の恋人に思わずにやりと笑いかけた。女子高生は眼にはっきりと敵意をあらわして稔を睨《にら》みつけながら通り過ぎて行ってしまった。

無論どんなに冷《ひや》やかで厳しい拒絶が撥《は》ね返って来ても、未来妄想劇の相手役は後から後から陸続とやってくるのだから、稔はいささかもこたえない。相変らず足駄をがらごろ鳴らしながら、自分の前に現われては左右に分れて通り過ぎて行く女子高生ひとりひとりの、髪の毛の長短、顔立ちの良否、胸の脹《ふく》らみのあるなし、腰やふくら脛《はぎ》の太《ふと》ぼそ、スカートの襞《ひだ》の手入れの良し悪し、靴先の光り具合の塩梅《あんばい》加減などを、鋭い目付きで素早く点検して行く。

（おっ、あの子はどうやら慶応に弱い型……）

色白の細面《ほそおもて》で、鼻先がつんと上向きの女子高生のやってくるのを見て、稔は頷《うなず》いた。二年前、つまり高校一年の春、一週間に十三回も観た『若草物語』のエリザベス・テイラーと似ている、と無理に思い込めば、そう思えないこともないような感じの女の子だった。その映画の中のリズ・テイラーは、鼻を高くしたい一心で、眠っている間はずっと洗濯挟みで鼻先を挟みつけていた。そのころ、稔は学級で一番背が低く、受験雑誌の「螢雪時代」の広告ページで見て取り寄せた「大映スターズの長身大投手スタルヒン選手も推奨する速攻式背伸ばし器」というやつを、毎夜、自分の躰《からだ》に付けて眠ることにしていたので、同病相憐れむというのか、リズ・テイラーの苦心がとても他人事《ひとごと》とは思われず、その場面にひどく心を動かされ、つまりは十三回という記録になったのだ。

その背伸ばし器の構造はごく簡単で、ズック布で作ったベルトが二本、それで総てだった。だから、送られてきた小包を開いたとき、稔は思わず「ああやぁ、おらやぁ、インチキに引っかかっちまったわぁ」と叫んだほどだった。同封されていたガリ版刷りの使用説明書には稔の疑いを前もって見越していたらしくこう書いてあった。

「偉大な発明ほどその原理は簡単なものであります。このことを疑う人は、蒸気機関の原理が沸騰する薬罐《やかん》にあり、航空機の原理が空飛ぶ鳥の翼にあり、パチンコの原理が引力の法則の上に成り立っていることに思いを馳せるべきであります」

パチンコが偉大な発明かどうか、また、パチンコに引力の法則が関係しているのかいないのか、この二点については大いに議論の余地がある、と稔は訝《いぶか》ったが、容易に結論が出そうになかったので、その先へ読み進んだ。

「……さて、使用法ですが、この背伸ばし器を使う場合は、二本の柱の間に布団を敷いてください。就寝に際しては、まずベルトⒶの一端を柱に固定し、他の一端を、揃えて伸ばした両足にしっかりと結びつけます。次に頭の方にある柱にベルトⒷを引っかけ、あとはズボンのベルトを締める要領で、顎の下で固定します。つまり、足と顎を上と下から引っ張るのが、この背伸ばし器の原理なのです」

これでは背が伸びる前にまず首が伸びてしまうのではないかという疑念がそれこそ首を伸ばしかけたが、稔は懸命になってその疑念を押えつけた。背伸ばし器に彼は一カ月分の全小遣いを投じていた。器械の欠点を余りあばき立てては小遣いなしで耐え抜いたあのひと月の辛苦が無駄になってしまうだろう。稔はそれを怖れたのだ。使用説明書はこう結んであった。

「なお、本器を三カ月間連続的に使用しても効果のあらわれない場合は、弊社が新たに発売した『強力本格式背伸ばし器』を、お試しください」

その夜から稔は両足と顎をベルトで柱に固定して眠った。これは相当な難行苦行で、なによりもまず寝返りが打てないのに参った。またしばしばベルトが顎から首に喰い込み、そのたびにスタルヒン投手に首を締められる夢を見て魘《うな》された。悪いことにそのころ近所に小火《ぼや》騒ぎがあり、「火事だ!」という叫び声や半鐘の音に慌てて飛び起きたが、そのときはいやというほど顎を引っ張られてしまった。数日間、首の付根が痛み、首が回らなかったものである。

だが、一年の二学期からぐんぐん身長が伸び出したから不思議だ。稔には背の伸びた原因が自然の発育によるものなのか、それともやはり背伸ばし器のお蔭なのか、いまだに見当がつきかねている。

リズ・テイラーと似ていないこともない女子高生がやって来たというところから、話が逸れてしまったが、稔はそういう洒落た感じの女の子は皆、慶応の学生に弱いと決め込んでしまっているので、早速、一年後の自分が、ぶっちがえた二本のペン先の徽章《きしょう》をシャツの胸に付けて、小判饅頭《まんじゅう》のような学帽をかぶっている姿を思い浮べた。自分はこの女の子とどんな切っ掛けで知り合うことになるのだろう。いや、こっちから切っ掛けなど作らなくても大丈夫さ、と稔は思った。慶大生に弱い女の子というものはおしなべてお転婆で気さくな性質《たち》なのだ、ぶっちがえた二本のペン先の徽章を見て、向うから話しかけてくるにちがいない。そうしたらまた青葉城趾へ誘うことにしよう。そのときの話題はやはり同級生のことがいいだろう。隣りの席に坐っているやつが財界の大立者の二代目で、真後《まうしろ》の席が大会社の社長の御曹子で、斜め後がさる小説家の息子だなんて話をしてやろう。早慶戦の話なども彼女に喜ばれるかもしれない。トップの二塁手宇田川からラストの投手河合までの全選手が塾生の応援にふるい立ち、早稲田の主戦投手福島に襲いかかって長短打のつるべ打ち、更に救援の石井投手をも打ちくだく。守備につけば慶応内野陣に美技相次ぎ、河合投手も要所を締めて宿敵を零封、神宮の森に応援塾生の歌う「陸の王者」が響きわたる、と話してやれば彼女は手を打ってうれしがるだろう。そして、そのときだ、彼女を青葉城趾の草叢に押し倒すのは。

ここで稔は、待てよ、と夢想を一時打ち切った。さっきの頭のよさそうな女の子も草叢、今度も草叢、これではあんまり能がなさすぎると彼は反省したのだった。

慶応に弱そうな感じの女の子を目で追いながら、彼は大いそぎで彼女を押し倒すにふさわしい場所を他に探しはじめたが、適当な場所を思いつかぬうちに、その女の子は彼の前をさっさと通り過ぎて行ってしまった。

（惜しいところだったな。もうちょっとであの子を組み敷くことが出来たのに……）

呟きながら前方に目を戻した稔は、自分の方へ急ぎ足で近づいてくる新手《あらて》の女子高生を見て、思わずはっとなった。

低いが左右にしっかりと鼻翼《こばな》の張った頑丈そうな鼻、ふくらし粉で脹《ふく》らませたような頬、太い眉、大きくて優しそうな眼、横一文字の薄い上唇と垂れさがった部厚い下唇、肥えた胴体をがっしりと支える太い足、とりわけ目立つ胸部の隆起。おそらく汽車通学をしている郡部の富農の娘だろうが、稔がその前の日に大映の封切館で観た、春らんまん人情明朗歌謡巨篇『娘《むすめ》初恋ヤットン節』の久保幸江と生き写しだった。

（農大生にぴったりのタイプだな）

途端に稔は北海道の原野を久保幸江と似ているその女の子と手をつなぎながら歩いている自分を想像した。一年後の彼は、なぜだか帯広畜産大学酪農科の一年生になっているのだった。そして、すでに彼はその女の子の許婚者《いいなずけ》のようなものになっていて、東北から津軽海峡を渡ってはるばる帯広まで逢いにやってきた娘と郊外に散歩に出ているところなのだった。そのとき、稔は「これからの農業には酪農のよいところを加味しなくてはだめだ」などと鹿爪らしく言い、「父も稔さんと同じことを言ってました。むろんわたしもそれに賛成よ」と彼女は答える。それを機に、自分は草の上に彼女を押し倒してしまうはずだ、と稔は空想を進めた。娘はありったけの力で稔から逃れようとするだろう。たとえ許婚者の間柄であっても、彼女は生娘だから本能的に拒絶の態度をとるに違いない。だが、そのときは「両方の親が承知しているからいいだろう」と言い張って、彼女のスカートから決して手を離してはならないだろう。そして、優しく、かつ猛々しく彼女の上にのしかかるのだ。つまり、それが男の仕事なのだ。空想の中の自分のてきぱきした女の扱い方に稔が感心し、うっとりしていると、どこかで、「なにをぼやっとしてる？　どこか塩梅《あんべ》悪いのかね？」

という声がした。

たしかここは北海道の原野、近くに人影はなかったはず。そう思いながら稔は掌で目を擦った。するとそこは北海道ではなく自分の学校の通用門、通称「裏門」の前、もう彼は帯広畜産大学酪農科の一年生などではなくただの高校三年生、そして、たったいままで自分と揉み合っていたはずのあの初恋ヤットン娘は、いかった後肩を左右に振りながら、すでに稔の数十メートル先を去って行くところだった。どうやら稔は裏門の数十メートル手前で彼女をひと目で恋し、裏門の前までゆっくり歩きながら魂を北海道の原野に飛ばし、そこですれ違った後も彼女の後姿にうっとり目を向けながら、なおもあらぬ空想の続きを見ていたらしい。

このように稔は行き交う女子高生と、毎朝、何度もひとり勝手な想像恋愛に陥る癖があった。実際には女の肌どころかスカートにさえも触ったことがないので、男と女がそのとき具体的にどこをどうしてどのような動きをするのか分らず、したがってイメージのしようもなく、いつもスカートに手をかけるところで彼の夢想は終ってしまうのだが、五分で着ける学校へ十分も十五分もかかるのはこの癖のせいなのである……。

「田島稔くん、しっかりしてけさい。今日は一学期の最初の日ではねすか？」

さっきの声の主が稔の肩を叩《たた》きながら、背後から彼の顔を覗き込んだ。声の主は全校生徒から裏門校長という渾名《あだな》を奉られている小使である。彼は明治の末つ方からこの学校に奉職しているという小柄な老人で、乃木将軍まがいの胡麻塩の顎鬚《あごひげ》が自慢の種だ。稔たちが入学した昭和二十五年の春、ちょうどこの老人は満六十歳、県教職員規程によれば停年退職のはずだったのに、彼自身の強い要請と、それを伝え聞いた同窓生総会の満場一致の議決によって、そのまま居坐り、自分の聖域である裏門を守り続けている。この裏門校長の俸給は、県に代って同窓会が捻《ひね》り出しているようだ。

「塩梅悪いなら、真っ直ぐ衛生室さ行った方がよかっぺ」

裏門校長は心配そうに稔の額に右手を伸ばした。

「熱でもあるんでねぇの？」

「熱などねぇす」

稔は裏門校長の手を軽く押し返した。その拍子に裏門校長が長い紐で首に懸け胸の上に垂らした鉄道時計が、背広のボタンに触れてかちゃかちゃと鳴った。

稔たちは入学以来二年間、毎日のようにお目に掛っているからべつに驚きはしないが、初めて裏門校長を見る人は、その物々しい扮装《いでたち》におそらく目を瞠《みは》るはずだ。裏門校長はあちこちに継《つぎ》布を当てたつんつるてんの背広を着ている。これは本物の校長チョロ松が着古したもののお下《さが》りだ。チョロ松というのはむろん生徒たちがひそかに贈った渾名で、松田なにがしという本名は歴《れっき》としてある。ただ、ひどく小柄でちょろちょろ忙しく動き廻るうえ、鼻下にちょろっと貧弱な髭などを蓄えているので、チョロ松という、校長としては少々威厳に欠ける渾名を付けられてしまったのだ。ついでに、教頭の渾名は抜け松という。本名は松下で、教頭としての役目を果すかたわら西洋史も教えているのだが、稔たちの先輩に「三十年戦争は何年続いたか？」という間抜けた試験問題を出し、それ以来、間抜け松、略して、抜け松と呼ばれている。もっともこの「三十年戦争は何年続いたか」という問題に正解を与えた生徒はごく僅かしか居なかったそうで、この渾名の由来を聞いたとき、稔たちは（抜け松も間抜けだけど、先輩の方はそれに輪をかけしんにゅうをかけた大間抜けぞろいだっぺ）と、先輩たちの方をより軽蔑したものだ。

ところで、裏門校長の扮装だが、彼はチョロ松のお下りの背広の上に、前にも書いたように まず鉄道時計を掛け、更にその上から国防色の雑嚢《ざつのう》と大型の懐中電灯を斜め十文字に吊している。いつだったか、授業が急に休講になり空いた時間をもてあましていたとき、誰かの発案で、裏門校長の雑嚢の中身を拝ませてもらおうということになり、彼の常駐している、裏門を入ってすぐの裏庭にある四阿《あずまや》まで、稔の学級の生徒全員が出かけて行ったことがある。はじめのうち見せ渋っていた裏門校長も、稔たちがあまり熱心に頼んだものだから、おしまいには根負けしたと見え、雑嚢の中身を四阿の床の上に並べ出した。

最初に取り出したのは学校の同窓生名簿と在校生名簿だった。なるほど二冊とも裏門校長としては必携の資料だろう。次に褌《ふんどし》と襦袢《じゆばん》。彼は月曜から土曜まで学校に泊り込んでいたが、これはそのための着替えなのだろう。それから真中からふたつに切った新生が十数本、これは学校の名入りの封筒に入っていた。紙巻煙草をふたつに切って喫《す》うのは、言うまでもなく倹約が目的で、彼は稔たちに「乃木将軍閣下がそうしておられたから、わしもそうしておるんでがすぺ」と説明してくれた。ほかに、乃木大将と静子夫人が並んで写っている絵葉書が一枚。絵葉書は手垢《てあか》で黝《くろ》ずみ、変な光沢を放っていた。角が四個所ともまるくなっていたが、これは裏門校長が一日に何度も雑嚢から取り出しては眺め、眺めては仕舞い込む、それを繰り返しているうちに摺《す》り切れてしまったのにちがいない。

裏門校長はほかにもいろいろな小物を出して見せてくれたが、たいてい忘れてしまった。ただ、ひとつだけ稔が未だにはっきりと憶えているのは、裏門校長が最後にかすかにためらいながら取り出した薄汚れた白封筒で、中には誰かの髪の毛が二十本ほど入っていた。

「何処《どこ》の女子《おなご》の形見の髪の毛すか?」

誰かがからかって言うと、裏門校長は入学以来初めて見るような屹《きつ》とした顔付になり、

「支那事変と大東亜戦争で伜が二人戦死したんでがす。こいつは二人の伜の形見でが

す」

と強い口調で言い、すぐさまその白封筒を雑嚢の中に戻してしまった。

戦争中、稔たちは国民学校の生徒だったが、三月十日の陸軍記念日になると毎年のように、校長は乃木大将率いる第三軍の旅順攻撃の話をした。熱狂的な乃木信者の国民学校校長は、毎年きまって次のように話を結んだ。

「……勝典、保典の二人の子どもを旅順攻撃戦で戦死させながら、悲しみの色ひとつ顔に出さなかった乃木将軍こそ、陸軍軍人の鑑《かがみ》ではないでしょうか。明治三十八年三月十日、日本陸軍が奉天を占領したのを称《たた》えて陸軍記念日と定められているようですが、私はむしろ乃木将軍が二〇三高地を陥落させた十二月五日のほうが、陸軍記念日によりふさわしかろうと信じております」

裏門校長の雑嚢の中の汚れた白封筒を見たとき、稔の記憶に不意にこの話が蘇ってきた。裏門校長が、敗戦このかた威光地に堕《お》ちっ放しの乃木大将に肩入れしているのは、軍神として崇拝しているためではなく、戦さで二人の息子を失った父親としてその悲しみを理解しているからではないのだろうかと、そのときの稔は考えたものである。

裏門校長は、鉄道時計、雑嚢、そして懐中電灯のほかにもうひとつ、腰に太い樫《かし》の棒をぶら下げていた。彼の仕事のうちで最も重要なのは、鉄道時計の針に忠実に裏庭の四阿に常置してある大太鼓を打ち鳴らすことで、つまり授業が始まるのも、また終るのも、彼の鳴らす大太鼓が合図になるわけだが、腰の樫の棒はそのときの桴《ばち》として使われた。また、校内に野良犬が迷い込んだときなど、彼の樫の棒は犬嚇《おど》しの武器となるが、そういう機会はごく稀にしかない。野良犬の連中も心得ていて、裏門校長が睨みをきかせている間は、滅多に学校に近づかないのである。

稔は心配そうに自分を見守っている裏門校長の視線を背中に感じながら、裏庭のまわりを半周し、生徒昇降口から校舎に入った。北舎《ほくしゃ》と呼ばれているその校舎は明治中期の建造になるもので、床は土間である。右手に文房具や書籍の売店、そして、食堂が並んでいた。文房具の売店と書籍の売店との間の一坪ほどの隙間に、足駄の歯入れ屋のおじさんが小店を構え、一千人の在校生の足駄の修理を一手に引き受けている。

北舎の廊下は学帽に白線を一本巻いた新入生たちで溢れていた。白線一本組は申し合せたように、鼻の穴を拡げたり狭《せば》めたりしながら歩いている。彼等は売店からのパンの匂いに混ってあたりにただよう異臭を気にしているのだが、むろん稔にはその正体が摑めている。売店や食堂と向い合って、廊下の左側には、運動部の部室が連なっているが、それらの部室の壁に引っ掛けてある汗まみれのユニフォームや稽古着が、廊下中に饐《す》えた匂いを放っているのである。

新入生たちは白線を三本も巻いた稔の帽子を見つけると廊下の両端に寄って、彼のために道を開き、左右から畏敬の目差《まなざ》しを向けた。稔はその中を半ば目を閉じ、ゆっくりと両肩を揺すって通って行った。稔のその姿は、他所目《よそ》には思索に耽る哲学少年といった趣きがある。

「よお稔でねぇか」

蹴球部の部室から、白線を三本巻いた帽子を、三分刈の大頭の上に阿弥陀《あみだ》被りにした、長身の少年が稔に声を掛けた。彼の額《ひたい》の正面には一口饅頭ほどの大きさの隆起があり、光線の具合では瘤《こぶ》のように見える。だがこれは瘤ではない。ヘッディングに凝ったために出来た胼胝《たこ》の一種で、この胼胝は対外試合のたびに、母校のために最低一点は得点を突き出していた。だから彼は額の胼胝を勲章のように心得、登校前に必ず胡麻油に浸した布切れで磨きをかけ、また稔たちはこれを勝利の女神のように心得、試験や喧嘩の前には彼の胼胝を撫でさせてもらうのがきまりのようになっている。

「デコ、この春休み中に、そのおでこで何点稼いだ？」

稔が訊くと、デコは嬉しそうに額を撫でて、

「三試合で五点」

と答えた。

まわりに居合せた白線一本組は、眩しそうな眼付きで一斉にデコの額をふり仰いだ。

「講堂にはもう行ったのか？　組分けを確かめたか？」

「いや、まだだ」

デコは首を横に振って土間に降りた。

「講堂に行ってみるまでもなかっぺ。どうせ六組に決っているもの」

稔たちの高校の一学年の生徒数は約三百、学級は六組まであるが、組分けの方法はまったく単純で素朴で乱暴だ。学期末試験の成績を一番から三百番までずらりと講堂の壁に貼り出して置き、次の学期の始まりの日の朝に、五十番と五十一番との間に棒を引き、五十番までを一組、五十一番から百番までを二組というふうに機械的に決めて行くのである。したがって、六組は、二百五十一番から三百番までの、最も出来の悪い連中が集まっている学級ということになる。

「そりゃおれも六組は確かさ。でも、机順や下駄箱の並びを見ておく必要があっぺっちゃ」

デコは頷き、稔の肩に手を掛けながら歩き出した。

教室の机や下駄箱の位置はすべて成績の順に自動的に決る。学年末の試験の出来具合から推しても六組に間違いはないだろうと大まかな予測は立つが、やはり教室に入る前に、講堂の壁いっぱいに貼り出してある成績表で、自分の順位をしっかりと確かめ、憶えておく必要があるのだ。

北舎の廊下はやがて事務棟にぶっつかる。事務棟の一階には事務室や職員室や校長室があり、講堂はその二階である。事務棟からは東西に二階建ての木造校舎が長々と伸びていた。

　講堂の窓から、これらの校舎の黒い屋根や、桜と朴《ほお》の木に囲まれた校庭を眺め下ろすたびに、稔たちは、学校はまるで一羽の鵬《おおとり》のようだと思った。事務棟は胴体、講堂は頭《かしら》、東西の校舎は左右の翼、北舎は長い尻尾、そして自分たちはその鵬の眼だ。

　講堂の成績表では、稔は二百八十四番で、デコは二百九十三番だった。

「あと七番さがれば三百番、どんづまりのどん尻で区切りがよかったのにゃぁ、惜しいことしたっぺ」

　デコが妙な口惜しがり方をしたので、稔が笑い声をあげると、それを聞きつけて、窓際から二人の白線三本組が近づいてきた。ひとりは少年とは思えぬがっしりした骨格の持主で、老成した角顔に、疎《まばら》に髭を生やしている。

「おれは二百九十四番よ。この四人のうちじゃ最低だっぺす」

　かえって肩を聳《そび》やかした。声まで嗄《しわが》れて、中年男のようである。彼はユッへと呼ばれており、二年生のときに延べ百八十日間も山へ入っていた。ユッへという渾名は、事あるたびに「ユッへ、ユッへ、ユッハイザ！」と叫び声をあげることに由来している。なんでもゲーテの『ファウスト』の中の文句で、

「いいぞ、いいぞ、いいことぞ！」という意だそうだ。

　もうひとりは、いかにも頭のよさそうな顔の、頸《くび》の長い少年で、ジャナリと呼ばれて

いる。

「おれは稔の次だっぺ。二百八十五番す」

ジャナリは黒表紙の部厚い書物を持ち換えながら溜息をついた。ジャナリの父親は開業医だが、彼が「また六組です」と報告するたびに「詐欺師め！」と大声で怒鳴るそうだ。頭のよさそうな顔をしていながらひどい成績をとるのは詐欺に類した行為だ、ということらしい。だからといって、簡単に成績を上げる良策もなく、また顔付きを最低の成績にふさわしい劣等生面に変える方策もなく、組編成の発表のある各学期の始めごろになると、ジャナリはいつも憂鬱《ゆううつ》そうにしている。

彼のジャナリという渾名の縁起はかなりこみいっている。いま大学病院の医師をしている彼の長兄が、戦前にこの学校へ入学したとき、最初の英語の教師が現校長チョロ松だった。英語の一時間目にチョロ松は英語の月名に節をつけて、

ジャナリジャナリとヘーブラリ
花の三月マーチましょ
四月エプリルメー五月
六月ジューンにひと目惚れ
七月ツライイジュライ恋患い

八月彼女をオウガスト
九月とうとうセップンティンバー
十月恋文オクトーバー
十一月返事がノーヘンバー
十二月すべてがデッセンパァ

と教えてくれたそうだが、長兄から教わったこの記憶ソングを、入学早々にクラスで披瀝《ひれき》したとたん、彼はたちまちジャナリという渾名を奉られてしまったのだ。

「ジャナリ、その本は何だっぺ？」

四人で窓際へ歩いて行く途中で、デコがジャナリの大事そうに抱えている黒表紙に目を付けた。

「ずいぶん重そうでねぇすか」

デコには答えずに、ジャナリはユッへになにか曰《いわ》くのありそうな目をちらっと泳がせた。それを受けてユッへが秘密めかした笑みを髭面に浮べた。

「どうせまたアルス社のヌード写真集だっぺ。別の表紙をつけてごまかしてるんでねぇの？」

ジャナリが毎朝、新聞第一面下段の書籍の広告欄を眺め、ヌード写真集の広告を発見するとその日のうちに本屋に注文する趣味があるのをよく知っていたので、彼はそう言った。ジャナリはそうやって手に入れた『豪華絢爛を極むる最新天然色傑作写真集』などの謳《うた》い文句のヌード集に、馬糞紙《ばふんし》の表紙をつけて得意そうに持ち歩いていることがよくあるのだ。拝み倒して見せてもらうと、たいていは芸術的というのかお上品というのか、毒にも薬にもならないような恰好をした外国の女の写真ばかりで、稔はそのたびに脳の芯のあたりがくたくたに疲れ果ててしまう。お上品な恰好の女のヌードを眺めると疲れるのは、彼女たちの芸術的なポーズを自分たちの好むような非芸術な恰好に歪《ゆが》め、彼女たちのお上品な表情を自分たちの望むような卑猥《ひわい》な顔つきに捩《ね》じ曲げるには、頭の中に持ち合せているだけの想像力というか妄想力を、すべて搾《しぼ》り出さなくてはならないからだった。この力業で脳の芯がくたくたになってしまうのだ。

「ヌードなどじゃねぇぞ」

言いながらユッへが下唇を舐めまわした。

「人体解剖実習書だぞ」

ユッへの口調には慎重な響きがあった。魔法使がその弟子に万能の呪文を口伝するときのような儀式ばった語調でもある。

ジャナリが周囲を見回してから、稔とデコの極く近くまですり寄ってきた。

「おれの兄貴が大学の医学部の時に使った解剖学の教科書だっぺ」

ジャナリは素早く頁をめくってみせた。

上質の紙を使ってあるらしく、その書物はぱちゃぱちゃと金属かなにかのような音をたて、黴《かび》くさい頁風を吹かせた。

「戦前の本だぞ」

ユッへがまた傍からかしこまった声で勿体《もったい》をつけた。

「解剖学の教科書がどうかしたか？」

ユッへとジャナリの様子があまりにも物々しいのでデコの口が少し尖《と》んがらかってきた。

「どうかしたかだと？」

ユッへはデコと稔とを憐れみのこもった眼付きで見て、

「おれは断言すっぺ。おまえらこれを見たら必ず腰抜かすぞ。腰抜かすどころじゃねぇ、まず間違いなく卒倒すっぺっちゃ」

と言った。

ジャナリが黒表紙の書物の真中辺の頁をさっと開いて稔とデコの鼻先に掲げた。それから、周囲の目を憚《はばか》るように、掲げる高さを低くした。

純白のつやつやしたアート紙の頁いっぱいに、なにがなんだかまるで見当もつかない図版が載っていた。

これは大口を開いている女の顔らしいぞ、と稔は咄嗟《とっさ》に思った。縮毛《ちぢれげ》が天に向って一本残らず逆立っているのは、怒髪天《どはってん》を衝《つ》くというやつで、女はなにかで多分腹を立てているところにちがいない。縮毛の下は、狭いが出っ張った額をはさんで、すぐ大きな三角形の鼻につながっている。真黒な三角鼻だ。鼻の先に小さなぽっちがあるが、これは御出来《おでき》かなんかだろう。御出来の下はとても大きく開かれた口だ。口の奥に黒々と喉《のど》の穴が覗いていた。

「どうだ、腰が抜けそうだろう？」

ジャナリがせき立てるような口調で稔に訊いた。

「さぁ、別に……」

稔は図版から目を離して首をすくめてみせた。

「だって、これは女の顔だろ？」

図版に再び目を落すと、ほんの一秒か二秒目を離していただけなのに図版から受ける印象がまるで違っていた。隠し絵がそうであるように目を離した隙に女の顔はもうどこかに隠れてしまっていて、その代りに、今度は羊の貌《かたち》のような形のものがぼんやりと浮びあがって見えた。

「あれぇ、今度は羊に見える」

稔が呟くと、

「おれはライオンの顔に見えっぺ」

デコが額の胼胝を撫でながら首を捻《ひね》った。

「勿体ないことを言う連中だなぁ」

ユッへがじれったそうに講堂の床を足で叩いた。

「これは『人体解剖実習書』ていう本なんす。なんで羊やライオンの顔写真が載ってるすか。莫迦《ばか》だねぇ」

ジャナリが図版の下に印刷してある文字を指でゆっくりと擦《なぞ》った。そこには日本語と、すくなくとも英語ではなさそうな横文字とが併記してあった。

『女性（交接）器』

さらにその下には十数個の術語が番号付きで並んでいた。

「①恥丘　②前陰唇交連　③陰核包皮　④陰核亀頭　⑤膣口……」

術語のひとつひとつが熟練工の振うハンマーのように正確に稔の脳天を打った。そのたびに彼の脳は熱を出し、全部をたどり終えたときは首から上がまるで火事場のようになっていた。

よく見ると図版の各所にも番号が振ってあった。図版の番号と術語のそれを照合すると、さっき稔が頭髪部と思ったところは恥丘というところらしかった。そして、狭いが出っ張った額が前陰唇交連というなにやら難しげな個所で、真黒な三角鼻が陰核包皮なるもので、鼻の先のぽっちが陰核亀頭という男にもありそうなもので、黒々とした喉の穴が膣口といえもいわれぬものであるらしかった。

「どうだ、これが敵の正体なんだぜ」

ユッへがしたり顔をして言った。

「男の一生はこれとの戦だっぺよ」

「どうも詳し過ぎて戦意が湧かねぇな。おれにはどうしてもこれがあれだとは思えねぇべ」

デコは指で宙に男の子なら誰でも一度はどこかにこっそり描いたことのある絵をするした。

「おれは二重丸に縦に棒一本突っ通した、この絵の方が、やる気が出るな」

稔もデコと同じ考えだったので、うむと頷いた。ユッへはそれを鼻で軽く笑い飛ばし、

「事実を直視せよ。真実から目を反らすな」

と言い、ジャナリに顎をしゃくった。ジャナリが次の頁をめくった。縦に真っぷたつに切った西洋梨の断面図のような図版が現われた。

「これは、前の頁の女性交接器の、最上部の恥丘から最下部の肛門まで、縦一直線にメスを入れたときの図だっぺよ」

ジャナリは幾度となく図版を見ているのだろう、すこしも澱《よど》むところのない口調だっ

た。

「つまりだ、あれをぱっくりふたつに割ったのがこの図だっぺ」

横からユッヘが易しく、ということはつまり卑猥に、解釈をつける。

もっとも稔には、図版があまり精巧で専門的すぎて、そう特別な感興が湧いてはこない。ただメスを入れていない恥丘だけは別である。こんもり盛り上ったところへ、筆で一本一本精密に縮毛が描き込んであるのだが、そのあたりへ目が行くと、瞼《まぶた》が熱くなりついでに厚ぼったくなるのだ。この図版に筆を振った絵描きは、そのときいったいどんな思いで仕事をしたのだろうか。自分だったらきっと十回も二十回も頭が変になったにちがいないと稔は思った。

ジャナリがまた頁を繰った。

そこには、一日数回は上から眺め下ろしているので見覚えがある突出物が図版になっていた。突出物は哀れなことに首から下は皮を剝《む》かれている。その図版の役目は突出物の筋肉の構造を示すことにあるので、これは仕方がないが。

「これが我が軍だっぺ」

ユッヘが図版を指で叩いた。

「そげなことは説明されなくともわかってる」

デコはユッヘの指を図版の上から押しのけておいて、首を傾《かし》げた。

「おれたちのはこんなに大きくねぇよな。実物の一・五倍ぐらいに描いてあるんだぞ、きっと……」

「いや、この本の図版はほとんど標準型の実物大だっぺ」

ジャナリが断乎たる言い方をした。

「学生の便宜のためにそうなってる。実物大じゃねぇのには、みんな但書《ただしがき》がついてっぺ」

「しかし、こんな大きくはねぇぞ。だいたい、こんな大きなものがどうやってあそこに入るんだ?」

このデコの問いに正解を与え得る経験を持つ者はまだひとりもいない。三人は押し黙った。

「やっぱりこの図版は実物より大きく書いてあるのす。うん」

「眼の錯覚ということがあっぺ」

ユッへが反駁《はんばく》した。

「絵の方が大きく見えるかもしれねぇのっしゃ」

今度はユッへが実測をした。ズボンのボタンを外し、突出物を掴み出し、それを図版の上に重ねたのだ。魚と、その魚でとった魚拓《ぎょたく》のように、ユッへのものと図版のものはほとんどぴったりと重なった。

みんながユッへの勇敢な実験精神に感動して、ほうとかふうんとかそうかなどとてんでに唸っていると、四人の背後で声がした。

「隅の方でなにをこそこそやってんの？」

振返ると長身のデコの後に隠れるようにして、校長が立っていた。上衣のボタンを外し、両手の親指をチョッキのポケットに引っ掛け、両肘を左右に張ったチョロ松は、突出物をズボンの中に取り込もうとして取り込めないでいるユッへに言った。

「講堂の二階で小便しては駄目でないの。この真下は校長室でがすと」

「小便してたんじゃねぇのす」

デコが助け舟を出した。

「……生物の実験です」

デコの助け舟が出ている間に、ユッへは取り込もうとしていたものを無事に取り込んで、

「解剖学の本に出ていた実物大の図と、自分のものとを較べていたのっしゃ」

と、弁明した。

チョロ松は鼻下の髭《ひげ》を撫でながら言った。

「諸君、ものの大小を論じて時を空費することなかれ。大なりと誇れど擂粉木《すりこぎ》棒より大なるはなし、小なりと憂えど燐寸《マッチ》棒より小なるはなし。言ってみればどれもみなちょぼ

ちょぼ」

そのとき、裏門から、裏門校長の敲《たた》く太鼓の音がした。一校時の開始の合図だ。チョロ松はチョッキから懐中時計を出して時刻を確かめながら話の穂をついだ。

「腕時計も懐中時計も柱時計も、また県庁舎の大時計も、大小の差はあれ指し示す時刻は同一ではないですか。諸君ここに真理がある。要は使い方です」

「つまり……」

四人でチョロ松を囲むようにして講堂の出口の方へ歩いて行く途中、稔が思いついて言った。

「小太刀には小太刀の使い方があるってわけすか」

チョロ松はぴたりと立ち止まり、稔の方へ向き直ると、うーむと唸ってぽんと胸を叩いた。

「おう稔、よう言うた、三重丸やるぞ」

階段の下でチョロ松と別れたあと、教室へ向う廊下を歩きながら、四人は、チョロ松が稔のべつにどうということのない発言を最大級の修辞で誉め称《そや》したのは、彼のも小太刀だからではないかと囁《ささや》き交した。

「今日からチョロマツじゃなく、チョロマラと呼ぶことにすっぺっちゃ」

ユッヘがふざけて提案し、稔たちが笑い声を立てた。目の前の板戸ががらりと開いて、軽石《かるいし》が頭を突き出した。

「授業はもう始まっているんだ。早く入って来ないと四人とも欠席扱いにしてしまうが、それでもいいのか」

そこが三年六組の教室だった。軽石は担任である。稔たちは頭を搔きながら教室へ入り、下駄箱に足駄を納めてから、それぞれの席についた。

軽石というのも渾名である。顔中に無数の痘痕《あばた》があって軽石と似ている上に、地学を教えているところから、石とは無縁ではあるまいというので、いつの間にかそう呼ばれている。

軽石はまだ三十歳をひとつかふたつ出たばかりなのに、すでに額の生え際あたりが薄かった。稔たちは彼のその薄い生え際を見るたびに、上級生が語ってくれた伝説を思い出す。

日中戦争が始まったころ、この学校の剣道部はまるで負けを知らず、神宮大会にもしばしば出場するほどだったが、その剣道部の中心選手のひとりがこの軽石で、当時から彼の額の毛は薄かったそうだ。なにしろ、軽石は面《めん》に慣れるために、というよりは、面を己の第二の顔としようと思い立って、朝起きるとすぐ面をつけ、夜寝るまでそれを外さなかったという。むろん、食事のときだけは別だが、あとは授業中も登下校のときもつけっ放し。軽石の両耳は火傷《やけど》にでもなったように引き攣《つ》って一枚の平べったい板のようになっているが、生え際の毛の薄さも板状の両耳も、剣道の面をかぶり通したのが原《も》因《と》だそうだ。

上級生はこう語ってから、最後に、軽石の顔の痘痕もじつは、面のせいで出来たものらしいぜ、と付け加えた。

あるとき軽石は、大事な試合が近づいてきたので、面慣れの効果をより一層高めるために、食事のときさえ眠るときさえ面を外さずにひと月ほど頑張った。さてその試合が終って、ひと月ぶりに面をとろうとしたら、顔に面が貼りついてしまっていて剝《は》がれず、それでも無理に、なんでも三人だか五人掛りで、えい！と引き剝がしたら、顔のあちこちの皮と肉が面の方へ鞍替《くらが》えしてしまった。その痕が軽石の顔のあの凸凹《でこぼこ》なんだ……。

このへんの話になると稔も信用はしていないが、それはとにかく、軽石に伝説が多いのはそれだけ生徒たちに尊敬されていたからだといえるだろう。

「君たちも知っているように、この学校には始業式や終業式がない」

稔たち四人がそれぞれの席に落ち着くのを見定めて、軽石が口を開いた。始業式や終業式ばかりではなく、稔たちの学校には修学旅行も運動会もなかった。自分たちの学校にどうしてこう行事が尠《すくな》いのか、稔たちにもよくはわからない。とにかく創立以来の伝統なのだそうだ。

「そこで担任が教室で一時間喋るのが始業式の代りということになっている。一時間も喋るつもりはないが、ひとこと言っておきたいことがある」

軽石はここでひと渡り教室の中を睨《ね》めまわした。

「私は一昨年は一年六組、昨年は二年六組を担当してきたが、その間《かん》、君たちの顔ぶれは殆ど変っていない。これはじつになんとも呆れ返った話だ。本校には、中間試験と期末試験が終るたびごとに、その成績によって学級が変るという仕組みがある。君たちはどうしてこの仕組みを活用しないのかね。たとえば、このどん尻の六組から一気に一組へ飛んで行ってみろ。胸がすっとすることは請《う》け合う」

そんなこと出来ない相談だっぺし、と誰かが雑《ま》ぜ返した。軽石はそれには応ぜずに話し続けた。

「三学期までに六回大きな試験がある、ということは、この六組から抜け出す機会もそれだけあるということだ。三学期の末には、君たちがひとり残らずこの六組から姿を消してくれるよう希望する。いや、希望じゃ生易しいな。切望し要望する。私はもう君たちの顔を見たくはない。つくづく見飽きたよ」

お互様でねぇすか、という声がした。みんなが笑い声をあげた。軽石だけは苦い粉薬を三回分ぐらいまとめて、しかも水なしで飲込んだような顔をした。

「本校は東北一の秀才校だという評判がある」

よし！　という掛け声があちこちから飛び、中には手を叩いたり、足駄で床を踏み鳴らすやつもあった。

「だれだ、教室の中で足駄なんぞ履いているやつは？」

ホトトギスという渾名で呼ばれている生徒が、以後気をつけっぺす、と言いながら叩頭した。彼の脳天には茶呑みの糸底大の禿《はげ》があるのでホトトギスなのだった。ホトトギスは「テッペンカケタカ、天辺欠けたか？」と啼くからである。

「たしかに本校からは毎年二百名近い諸君が国立大の一期校に合格している。東北一という評判はまんざら根拠のないことではない」

また、よし！　という掛け声、それから弁当を箸で叩く音。

「一時間目から弁当を使っているやつはだれだ？」

稔の後で、デコがしゃっくりをしながら、なにか解らないことをごちょごちょと言った。言っていることは不明瞭だが、彼の語調は詫びていた。軽石は、腹も身の内だぞ、とデコに釘をさしてから、

「だが、東北一という評判は君たちとは無縁だ」

と大きな声になった。

「国立校へ行けるのはせいぜい四組あたりまでだな。君たちは私立のどこを受けても危い」

「帯広畜産大も望みなしすか？」

稔は思わず手を挙げて訊いた。登校途中の妄想がつい口を衝《つ》いて出てしまったのだ。

「いまはそういう個別的なことを言っているのではない」

稔は挙げた手で頭を掻き、それからそっとその手を下ろした。

「六組にいればどこを向いても怠け者ばかりだから、そりゃたしかに楽だし、愉《たの》しいし、居心地もいいだろう。だが来年の三月に泣くことになるぞ。さっきは六組から一組へ飛んでみろ、といったが、あれは取り消す。せめて五組へ上がってくれ。五組ならなんとかなる。岩大《がんだい》や山大《やまだい》の教育学部あたりに、まぐれで引っ掛かることも出来るかもしれない」

軽石は最後は哀願するような口調になった。

「とにかく、三学期には、君たち、おれの前から消えてくれよな。じゃ、出席でもとるか」

軽石は出席簿を開き、名前を読みあげはじめた。稔の後では、もうユッヘとジャナリがくっくっと押し殺した笑い声をあげている。多分ジャナリの持ってきた例の黒表紙を覗いているのだろう。

稔は自分の名が呼ばれるまで、窓の外へぼんやりと眼をやっていた。窓から五、六メートル距《へだ》たったあたりに淡い紅色の、まだ固い蕾《つぼみ》の桜の老樹が、どんよりとした春の薄《うす》墨《ずみ》色の曇り空を背景に、浮き出すように立っていた。

何気なしに桜の木を眺めているうちに、稔に不意打でもかけるように、それはあの図版にあった怪しく悩ましい、それでいて不可解な形のものに変った。稔は息が詰まった。

軽石に名を呼ばれているのに返事が出来ない。

軽石は稔を視て「どうした」と声を掛け、それでも返事がないので、やれやれと首をひと振りふた振りし、また出席簿を読み続けた。

稔の頭の中で桜の木が本来の桜の木の形に戻ったのは、軽石がいちばんおしまいに聞き馴れない名を呼んだからだった。

「渡部俊介。……渡部はまだ来ていないか?」

「渡部俊介って誰すか?」

問い返す声に軽石は答えた。

「転校生だ」

道理で知らない名前である。

「どこの高校から来るんだっぺね?」

「日比谷だ」

「日比谷つうと……あの日比谷すか?」

「あの日比谷だ。もとの府立一中だな」

教室の中がいっぺんに騒がしくなった。東大をはじめとする国立一流校への合格者数を基準にしての話だが、稔たちの高校が東北一なら日比谷は日本一である。いまでは殆ど実現の不可能な夢となってしまったけれども、この高校へ入学してから最初の中間試験の成績が講堂に貼り出されるまでは、稔たちも、もしかしたら東大へ入れるかも、と思っていたことはいたのだ。このごろでは身の程を知り、己の実力がどの程度かも見当がつき、岩大でも山大でも国立ならどこでもいい、などと望みは小さくしぼんでしまったが、それでもまだ東大という二文字は頭のどこか隅の方にこびりついている。

稔などは今でも「トーダイ」という音を聞くと思わず躰が固くなってしまうほどだ。稔の家の近所に「東台マーケット」というのがあって、ときたま「東台まで行ってくれ」と母親に用事を頼まれることがあった。ほかの所なら「勉強中！」と軽く撥《は》ね付けるのにトーダイへ、と声が掛かるとつい腰が浮いてしまう。稔にはそれが「東大へ行ってくれ」と聞えるのである。

その東大へ毎春百名以上の合格者を送り込んでいる学校から、二十名の合格者を出せば上出来というこの学校へ、わざわざ転校してくるなんて、渡部俊介というやつはすこし頭がおかしいのではないか。しかも、なぜ最悪劣等のこの六組へ？

「なんでその転校生は三年一組へ入らねぇんだっぺね？」

稔と同じことを考えていたらしいのが立ち上がり、軽石に訊いた。

「さぁ、なんでかね」

軽石はそう言って、出席簿をぱたんと閉じた。

二

中学生のころ、「わが家」という題で作文を書かせられたことがある。稔は作文の冒頭に、

「この町には料亭が二十数軒あると父が言っていたが、これらの料亭はすべてわが家より大きいか小さい」

と書きつけた。

稔は自分の家が大きくもなければ小さくもない中位の料亭だという意味のことを書いたつもりだったが、国語の教師は「あんまり当り前のことを書くんではない」という朱筆を入れて返してきた。なるほどなぁと稔はそのとき感心した。たしかにこの書き方では、自分の家が町最大の料亭でも、また、最小でもないことがわかるだけで、あとは漠としている。いちばん言いたかった「中位」ということもこれでは伝わらない。非実用的な文章の標本のような代物ではないか。

ところで稔のところは結構繁昌しているようである。二階に四つ小座敷があるが、ここ一年ばかりは、ほとんど毎夜のように座敷から客の酔声があがる。学都といわれる町だけあって客種は高校や大学の教師などが多い。常連の教師たちの中にとりわけ陽気な小柄のチョビ髭男がいたが、高校の入学式のとき、その小柄な男が高いところから「本校の校訓は熟慮断行であります。この校訓は、本校創立のころ、第二師団の師団長であられた乃木将軍から、特に戴いたものでありまして」などと説き始めたので、稔は愕《おどろ》いてしまった。その常連客は校長のチョロ松だったのだ。チョロ松は今でも教頭の抜け松などと連れ立ってちょくちょくやってくる。酔うと必ず「空にさえじる　とるのこい」と十八番を歌い出すから部屋に閉じ籠っている稔にもチョロ松の来ていることがすぐわかる。

戦前戦中は軍人が上得意だったようだ。酔って軍服や下着を脱ぎ捨てた第二師団の将校が千人針の褌《ふんどし》をひらひらさせて踊ったり、芸妓に抱きついたりしているのを、稔はよく裏階段から眺めたものだった。第二師団の兵営へ進駐軍が乗り込んで来てからは、当然のことだが、GIがよく姿を現わす。

三年生第一日の午後、稔は学校から新東宝の封切館へ直行し、『上海帰りのリル』を観た。一回で出てしまうのが惜しくて二度も観たので家に着いたときはすっかり暗くなってしまっていた。台所で立ったまま夕飯を掻き込み、すぐ自分の部屋に籠り、机の上に並べてあった参考書の中から「文語文法」という背文字のある一冊を抜きだし、巻末の時代別動詞活用表を開き、いきなりラ行変格活用動詞「有《あ》る」の活用を唱え始めた。

《ら・ら・り・りる・る・れ・れ》

じつをいうと稔は、その午後、新東宝にするか大映にするかで大いに迷ったのだった。大映には『乞食大将』がかかっていた。「名作として公開を待望されていた傑作時代劇、未封切保留映画！」という惹句《じやつく》にずいぶん心を動かされたが、結局はリルを選んだ。これはつまり出演女優の差である。『乞食大将』の方は中村芳子とかいう聞いたことのない女優だったのに較べ、リルには香川京子が出ていた。

香川京子を贔屓《ひいき》にしているのには理由がある。稔の家の座敷へよく出る多香子という流行妓がこの女優とよく似ていたのだ。とりわけ、黒眸《くろめ》の大きい、ぱっちりと見開かれた瞳と、厚い下唇がそっくりだった。香川京子の鼻も大きいが多香子はそれ以上に大きく丸い。それが難といえば難だが、そのかわり、声は多香子の方が勝る。つんけんした香川京子の声に比較すると、ずっと丸味があって、こっちの耳に吸いついてくるような艶っぽさが、多香子の声にはあるのだ。多香子の声が丸味を帯びているのは彼女の鼻の形のせいだろうか。

『上海帰りのリル』の細部を反芻《はんすう》しながら、《ら・ら・り・りる・る・れ・れ》と唱え

てるうちに「りる」のところに「リル」の節がついて、

「ハマのキャバレにいた、
らりり噂はりる、るれれらりり帰りのりる、りる」

こんな具合になった。

(おれも駄目だな、これじゃ永久に六組残りだっぺ)

と呟きながら、稔は勉強を諦めて本立ての間に本を戻した。

稔の部屋は中二階である、というと人聞きがよいが、じつは一階と二階とを繋いでいる裏階段に、ちょっと手を加えただけの不思議な部屋だった。中学時代、稔は階下に三帖間をあてがわれていた。二年前、客がたてこむようになり、それまで二階にあった布団部屋が小座敷に改造され、布団や什器什物などが稔の三帖に押し掛けて来たので、行くところのなくなった稔は、新天地をあまり使われていない裏階段に求めたのだった。

居ついてみると階段もそう悪くはなかった。隠れ煙草を喫っても煙は迅速に階上に抜けてくれるし、小座敷の客と芸妓との際どい、したがって胸がわくわくするような会話《やりとり》も手にとるように聞えてくる。難は冬季の冷えと酒臭い二階の便所の匂いだが、冷えは毛布を躰に巻きつけることで凌《しの》げるし、酒臭い尿の匂いは鼻できく天気予報と思えば辛抱できた。尿の匂いが強くなると翌日はきっと雨になるのである。

勉強机は階段の途中の、明り窓のある踊り場に置いてある。階下と階上の階段口には、父が開き戸のようなものを取り付けてくれたので、独立性は一応保たれていた。踊り場から上の段々には、「野球界」と「映画の友」と「キネマ旬報」のバックナンバーが積み重ねてあった。その斜め上の戸棚を開けると万年床が敷いてある。

稔は万年床の上にキネマ旬報の最新号を抛《ほう》り上げ、学生服の釦《ボタン》を外しはじめたが、明り窓に、こちんと小石の当る音がしたので、窓を取り外して、外の暗がりに眼を凝《こら》した。

「おう、おれだ」

デコの額の胼胝が街灯の薄明りをぼんやりと照り返している。

「ユッへとジャナリも一緒だっぺ」

ユッへとジャナリが稔に手を振った。隣家の犬が人声を怪しんで吠えだした。稔は三人に、上れと手で合図をし、窓の下のゴミ箱を足がかりにして踊り場に躰をこじ入れてくるデコたちに中から加勢した。

ユッへが万年床に、ジャナリが雑誌の横に、デコが机の上に腰を落ち着けたところで、稔は明り取りに窓を嵌《は》め込んだ。

「おれ、寝ながら女優の写真でも見っぺと思っていたとこっしゃ。で、用は何っしゃ？」

「相談ごとがあったのす」

デコが机の上に花林糖《かりんとう》と乾パンの袋を置いた。

「稔、おまえ、柴犬を飼ってる家、知ってっか？」

「柴犬？」

「ん。雄のな」

「知ってっとも」

稔は隣家の方角を視線で示した。

「今、吠えてたのが柴犬の雄だっぺ」

ユッヘが手を叩いて「ユッヘ・ユッヘ・ユッハイザ！」と叫んだ。稔は唇に指を当ててユッヘを制した。

「で、柴犬の雄がどうした？」

「今度の日曜に半日ばかり借りられっといいんだけっともね」

ジャナリが乾パンを嚙みながら言った。

「小牛田《こごた》さ連れて行ぐがら」

小牛田というのは汽車で一時間ほど行ったところにある町の名だった。

「そこで内科を開業している親戚が、柴犬の雌を飼ってんのっしゃ。礼は千円、ほかに生れたときに仔犬が一匹」

隣家の老主人は元陸軍少佐で、たいそう吝嗇《りんしょく》だという評判である。その程度のお礼で犬種をくれるだろうか。考えているとユッヘが唆《そその》かすような口ぶりで、

「黙って連れてくことが出来れば、千円と仔犬はまるまるこっちの儲けになるんだけんともねぇ」

と言った。たしかに、仔犬を売った金と千円を合せれば久し振りに豪勢なコンパが出来るだろう。

「よし。そんじゃあの犬、黙って借りることにすっぺし」

稔は三人に頷いてみせた。

そのとき、階上から、「おばんでござりす。遅くなりました」という、甘くて丸味のある、まるで飴玉みたいな声が降って来た。

「多香子ねえさんだ」

階段に腰を下ろしていたジャナリを押しのけて四、五段踏み上り、稔は戸を押して、廊下を窺《うかが》った。白っぽい色の着物の多香子が朋輩《ほうばい》の芸妓たちと、ひとつ向うの座敷に入るところだった。稔の顔の上に、ジャナリ、デコ、ユッへの順で、また三つ、廊下を窺う顔が積みあがる。三人も多香子に憧れているようだった。教室で相談しても充分間に合う事がらを、わざわざ夜に持ち掛けてくるのは、稔の家『たじま』へ来れば、多香子と銚子を拝めるかもしれぬという期待があるからだろう。

「なんのなんのお姐さん方、じつはわたしらも今しがた到着したところで……」

多香子たちを迎えた数人の酔った声の中に、稔たちが日頃よく聞く声がある。

「ちぇっ、チョロ松だ。いけすかねやつ」

ユッへが舌打ちをした。

「こちらが二女高の校長さん。そっちのいい男が県立工業の校長さん……」

どうやら校長会かなんかのお流れらしい。つづいてチョロ松が校長たちに芸妓を紹介した。

「美代子さんに力さんに多香子さん。どちらもここの花街の売れっ子なのっしゃ」

チョロ松は嘘を言っているぜ、と稔は三人に小声で説明した。美代子も力も相当な姥桜なんだ。昼間お目にかかると二人ともどこのご隠居さんかと思うぐらい。皺《しわ》を埋める白粉代だけでも大へんなものさ。本当に売れっ子といえるのは多香子ねえさんだけだぜ。

「いやぁ、多香ちゃん、いつもにもまして、今夜は綺麗だねぇ。なんだかひどく活き活きしているんではねぇすか。さてはいい人でも出来たんだな。妬《や》けること妬けること」

チョロ松が言い終ったと同時に、芸妓たちの囃《はや》し声があがり、その後にどさっという音。なんだ、いまの音は、とユッへが稔に訊いた。たぶんチョロ松が多香子ねえさんに接吻しようとしたんだ。多香子ねえさんがさっと躱《かわ》したので、チョロ松がずでんどうさ。稔の実況解説に三人は「よし！」と頷《うなず》いた。

座敷では、

「それにしてもなんでそんなに嬉しそうなんだべね。男じゃないとすっと、うん、宝くじにでも当ったのすか」

「わたしに当るのは苦労ばっかりす」

「財布でも拾ったんだべか」

「わたしの拾うのは吸殻ぐらいっしゃ」

「無尽でも落ちたかな」

「落ちるのはつきだけっちゃ」

「旅行にでも行くのすか」

「貧乏暇なしなのす」

「ペンフレンドが出来たのすか」

しつっこい奴だなぁ、と四人は呆れながら聞いていた。

「……ペンフレンドでもないとすっと、ああ、わかった、わかりましたよ、多香子さん、ヘレン・トロウベル女史の独唱会の切符が手に入ったんでねぇの」

「クラシックもソプラノもわたしの趣味じゃありません。わたしの趣味は校長先生のお歌だけ……」

他の校長たちがお義理の歓声をあげ、すぐ三味線が聞えだした。朋輩衆《ほうばい》のだれかが気をきかせたのだろう。うははは、そんならひとつ御免蒙って歌わせてもらうべか、拙《つたな》い歌だが聞いてけさい、とチョロ松は言い、そらにさえじる、とるのこい、たちよりおつる、みじゅのおと、と歌い始めた。

聞いているのも馬鹿らしく、また気恥かしく、稔たちはもとの場所に戻った。

「おれたちの高校は……」

しばらくしてから稔が呟いた。

「……生徒も先生も優秀だけっとも、校長だけは質が落ちてるよなぁ」

ほかの三人は元気のない声で、よし……と相槌《あいづち》を打った。またしばらくしてから、稔はふと思いついて、酒をくすねるために調理場へ立って行った。


次の日曜の朝。稔が何気ない振りを装いながら隣家の庭先を覗くと、隣家の主の元陸軍少佐は長い山羊鬚を朝風になびかせつつ徒手体操をしているところだった。両手を天に突きあげるたびに、老少佐の下着の脇の下に幾重にも当てられた継布《つぎ》がもこもこと不細工に動く。段々畠のように幾層にも積み重ねられたその継布は、老少佐がひどい脂性でまた汗性であることや、目下の彼のさし迫った財政状態や、捨てるのは襤褸《ぼろ》でも嫌というその性格などを雄弁に弁じ立てていた。

「おじいさん、元気でやってるすねぇ」

稔が声をかけると老少佐は、うむと頷き、

「稔くん、きみはどうかね、やっとるかね」

と問い返してきた。

「そりゃもうだいぶやってるす」

曖昧に答えておいて、稔はこれから散歩に行くところだが、おじいさんところの犬もついでに歩かせてきてあげましょうか、と申し出た。老少佐はこれ見よがしに毎朝体操などをしてわしはまだ矍鑠《かくしゃく》としておる、と隣近所に誇示してはいたが、じつはもうだいぶ足腰も弱り、愛犬に碌《ろく》に散歩させることもできないでいるのが実情だったので、渡りに舟、空腹に弁当、色男に据え膳で、犬の鎖を稔に預けた。

「旅順包囲戦のとき、わしには六百の部下がおった。だがいまの部下はこれ一匹。気を付けて連れ歩いてくれよ」

老少佐の部下は気が立っているようだった。いいぞ、さかりがついているぞ、この犬は。稔は心の中でほくほくとした。

老少佐は稔と犬を眺め、

「犬は忠実無比、少年は純真無垢。いい一対じゃのう」

と目を細くしていた。

駅にはすでに三人が待っていた。どういうわけかジャナリは黒羅紗《ラシャ》のマントを肩に引っ掛けている。

「四月にマントとはトンマな話でねすか」

稔がおはようの挨拶がわりにジャナリをからかった。ジャナリは、

「マントはトンマだという稔の方がよっぽどトンマでねすか」

と逆襲し、犬を連れて改札を通ったりすれば必ず係員につまみ出されるだろう。だから犬を隠すためにマントを着用して出てきたのだ、と説明した。その用意のよさに舌を捲きながら、稔はジャナリに犬を渡し、かわりに切符を受け取った。

改札口を通るとき、犬がジャナリのマントの下で二声三声吠え立てた。

「だれっしゃ、犬を連れてんのは？」

改札係が鋏《はさみ》を停めて四人の顔を視た。しまった！　と思ったとき、いきなりユッへがワンワンと犬の口真似をした。稔たちは咄嗟《とっさ》のうちにユッへの工夫に思い当り、すぐさま彼に負けじと吠え立てた。改札係はあっけにとられて四匹の即成犬を眺めていたが、やがて稔たちの制帽の、竹の葉に萩の花をあしらった徽章に視線を移し、それから苦笑した。

「一高生の悪戯《わるさ》は旧制一中時代からの伝統だもんね。相手にするのは馬鹿だけっしゃ。さぁ、早く改札を通ってけさい。後がつかえているでねぇすか」

一番のプラットホームで下りの急行「あおば」を待っている間も、犬がマントの下で吠えるたびに、稔たちはその口真似をした。はじめのうちは抵抗があり、少し恥かしか

った。だが慣れてくると、これは不思議というのか浅間しいというべきなのか、犬がワンと啼けば四人もワン、犬がクンなら四人もクン、犬がウーなら四人もウー、いささかのためらいもなく、しかもよい間合いで犬の啼き真似が出来はじめた。

「犬が吠えれば無意識のうちにおれたちも吠えている、これが条件反射というやつだっぺね」

稔がそう言ったらユッへが反論した。

「犬が或る条件づけをされるのが条件反射というのしゃ。人間が条件づけされている場合はまた別だっぺし」

「あ、そうか、つまりあべこべだもんね。じゃ条件反射じゃなくて、反射条件とでもいうのだっぺかね」

稔りのない議論を交しながら稔たちはプラットホームの前部、進駐軍専用車の停車するあたりへ歩いていた。そっちの方が人影が疎《まば》らだったからである。

と、不意に稔の足が停まった。

「どうした？　さっさと歩《あ》いべ」

デコが促したが、稔の視線は「二等車停車位置」という札の掛けてある柱のあたりに釘づけにされたまま動かない。デコたちは稔の視線を辿《たど》って行った。視線の先に青磁色のワンピースに帽子とハンドバッグと靴を白で揃えた若い女が立っていた。女は稔たちに向ってかすかに頬笑んでいる。

「……香川京子だワン」

デコが唸《うな》った。末尾のワンは、そのときマントの下で犬が急に吠えたので無意識に付けてしまったワンである。

「ちがう。多香子ねえさんだっぺ」

しばらくしてから稔が言った。これまで、稔たちは和服の多香子しか見たことがなかった。だから一瞬、見違えてしまったのだ。

「二等車でどごさ行ぐのだっぺね？」

「男と湯治さでも行ぐんでねぇのすか」

「男って誰っしゃ？」

「……チョロ松かね」

「まさか」

デコたちがひそひそ話を交している間、稔はただ凝《じ》っと多香子の白い脚を見つめていた。彼女の脚はこれまで注意深く着物の裾で隠されていたのに、その聖域が稔だけにならまだしも、いまや衆人の眼前に曝《さら》されている。それが口惜しい、もったいない。もしも自分にその勇気があったら……と稔は夢想した。ジャナリのマントを剥《は》いで飛んで行き、多香子ねさんの脚をすっぽりと包んでしまうんだけれど。もしそうしたらどうなるか。「あら、なにをするの？」「多香子さん、ぼくはあなたのその聖なる脚を助平どものいやらしい視線から守らなくてはならないのです」「まぁ……」これが切っ掛けで二人は親しくなるだろう。これまで自分と多香子は言葉を交したことはないが、家の玄関や帳場では何度も顔を合せている。下地《したじ》は十分だ。あとはすべてがすらすらと運び、やがてあの女《ひと》は料亭『たじま』の若女将、川村多香子から田島多香子になるのだ。そうすると自分はいま父がそうしているように調理場で包丁を振い煮物をすることになるかもしれない。それなら栄養士か調理師の資格を取っておいた方がいい。となると、来春は東京栄養短期大学一年生。それとも、東京の料亭へ板前見習として住み込むか。どっちにしても来春はあの女《ひと》に見送られて、この駅から上野へ発つのだ。プラットホームの柱の蔭でこっそりと、だが、しっかりと手を握りあっている自分たち。そこへ情容赦もなく上り急行が入ってくる……。

本当に急行が入ってきた。ただし、それは上りではなく下りだった。稔は夢想から醒《さ》めて、三人の仲間と二等車の次に連結されている三等車のほうへのろのろと歩いて行った。

降りる客を待ちながら、ふと一輛前の二等車を見やった稔は愕いて目を剝《む》いた。多香子が二等車から降りた若い男の手を親しそうにとり、その若い男の顔を覗き込むようにしてなにか言っているのだ。多香子は稔がこれまでに見たこともないほど愉しげに振舞っていた。ハンカチでそっと男の肩の埃を払い落したり、男のトランクを持とうとして手を差し出したり、一瞬男の眼をいとおしそうに視たり、それから軽く笑ったり、活き活きしている。

だが、若い男のほうはそういった多香子の優しく細やかな心遣いをまったく黙殺し、なにか気に触ることでもあるのか、不機嫌そうに固く唇を閉じ、足早に改札口の方へ歩いて行く。そのあとを多香子が小走りに追いかけた。

稔は若い男の態度を許せない、と思った。自分なら夢想の中でしか多香子にしてもらえないあんな心遣いを、現実にしてもらっていながら笑い顔ひとつも見せないとはなんという罰あたりなんだろう。だいたい多香子ねえさんも自分を安売しすぎる。この町一の花街の売れっ子があれほど無視されながら、のこのこ後について行くことはないのだ。

「……今の男、いい顔してたっぺ」

「ん。石浜朗みてぇだったべし」

「で、あいつ、多香子ねえさんの何だっぺね」

「そりゃやっぱし恋人なんでねぇの」

ユッへたちも稔と同じように、デッキに登ることも忘れて、男と多香子の後姿に、羨ましそうでもあり、また腹立たしそうでもある視線を向けていた。二人の姿が待合室の人混みに紛れて見えなくなったとき、発車のベルが鳴った。

「仕方無《すかたね》さ、さぁ、行ぐっぺ」

デコが声を掛けてデッキに登った。その後にジャナリが続こうとして、あっと息を停めた。

「どうしたのっしゃ？」

と稔が訊いた。

「犬が居なぐなったのっしゃ」

とジャナリが悄気《しょげ》た声を出した。

「あの二人に見とれていたのが悪がったな。手から落したのにも気がつかなかったのす」

「ズボンの中にでも潜り込んでいるんでねぇの？」

ユッへがジャナリのマントの裾を持ち上げ中をたしかめた。ジャナリがユッへの手を払った。

「莫迦《ばか》だな。柴犬は中型犬だぞ。ズボンの中に潜り込める訳はねぇでねぇの」

そのとき、二等車の前の車輛、進駐軍専用車のあたりで、犬の吠えているのが聞えた。

その方へ走って行ってみると、ＲＴＯのプラットホームの真中で稔の連れてきた柴犬が白いスピッツと番《つが》っている最中だった。

傍では前頭松登《まつのぼり》ぐらいはたっぷりとありそうなアメリカ人の中年女が足をどんと踏み

鳴らしたり、蛸《たこ》の足ほどもありそうな指を組み合せながら、天を仰いでお祈りらしい言葉を唱えたりしていた。

背後から女の肩を軽く叩いてなだめている米軍将校がいるが、きっと亭主にちがいない。これもニュース映画によく出てくる関脇大内山《おおうちやま》みたいな大男である。

大男の将校が別に急いでいないところを見ると、これから汽車に乗ろうというのではあるまい。おそらくいま降りたところなのだろう。そこへジャナリの逃した柴犬が駆けてきて、大女の愛犬に国境を越えた恋を仕掛けたにちがいない。

そんなことをあれこれ推量していた稔の耳許へデコが、

「汽車が出っけっとも、どうすっぺか」

と訊いた。

「おれたちだけが行っても仕方無ぇんでねぇの」

と稔は答えた。

「だっておれたちが代りに番《つが》うわけにも行かねぇものね」

「そりゃそうだな。それじゃ汽車には勝手に出てもらうことにすっぺ」

間もなく、汽車は、デコの言葉を借りれば、勝手に出て行った。稔たちは、ジス・イズ・アワ・ドックと名乗り出ると大女にゴー・ツー・ヘルと罵《ののし》られたあげく尻を蹴っとばされそうな気がしたので、見物人の振りをしながら、二匹の犬の春の饗宴の果てるのを待った。

柴犬は、大女のたてる足音や呪いや悪罵《あくば》にも、また見物の好奇な目差しにも一向に慌てず、己の尻をスピッツの尻にぴったり合せて、長い間じっとなにか瞑想に耽《ふけ》っていたが、やがてぶるぶると尻を振ってゆっくりとスピッツから躰を離した。そこを狙って大女が柴犬の胴を蹴った。柴犬はよたよたっとなったが、気丈にも立ち直り、そのままRTOの建物と駅舎の間を抜けて走り去った。

大急ぎで改札を抜け、表に出た稔たちは、ようやく駅前マーケットの裏のゴミ箱の前で柴犬を捕えた。それから稔たちは、多香子ねえさんに非情な情夫《おとこ》が居たことを嘆き、豪勢なコンパが絵に描いた餅になってしまったことをぼやきながら、それぞれの家に帰った。


あくる月曜の朝、布製の肩掛け鞄を手にぶらさげて裏口を出た稔を、隣家の老少佐が庭先から呼びとめた。

「昨日は犬を散歩させてくれてありがとう。ところで稔くん、君は今朝の河北新報《かほぐすんぽ》を読んだかね？」

河北新報とは稔たちの都市《まち》の最有力紙だった。

「河北新報は読まぬことにしてんのっしゃ。おれは朝日す」

かすかな矜持《きょうじ》が稔の口調にはあった。とくに稔は朝日の「新映画」という映画批評欄に切れ味のいい筆を振っている「純」という記者の信奉者である。映画を観たあとでまとめた自分の意見と「純」氏の評価とが食い違っているときは稔はいささかのためらいもなく自分の意見を捨てる。それほど打ち込んでいた。

「ちょっと此処《ここ》を読んでみなさい」

老少佐は河北新報の「奥の細道」という欄を稔の目の前に掲げた。

「はーん、この欄、朝日の『青鉛筆』みたいなものでねぇすか」

言いながら活字を追う内に、稔は蒼くなった。そこには昨日の駅頭での交尾事件が報じてあったからである。記事の大要はこうだった。

『昨十三日、駐日米軍第二十四師団の新任師団長W・ヒューズ少将がシェリー夫人を伴って当地に赴任した。ヒューズ少将夫妻がプラットホームに降りたとき、どこからか日本犬が駆けよって、シェリー夫人の愛犬ベルちゃん（スピッツ種の名犬。時価三十万円とか）とその場で愛を交しはじめた。関係者はこのような名犬に飼主もわからぬ犬が……とハラハラ見守っていたが、ヒューズ夫妻の〝犬までがこの日米交歓、なんで人間が仲好くできないわけがありましょうか。犬たちに負けずにわれわれも友情を育てあいましょう〟という粋《いき》な言葉に胸を撫で下ろした……』

読み終えた稔は老少佐の顔を窺った。老少佐はこの日本犬が自分ところの犬だと気がついているのだろうか。そして自分に雷を落すつもりなのではないか。

「近頃の新聞はどうしてこう下らぬアメリカの提灯記事ばかり書くのかね。なっとらん！　そうは思わんか」

老少佐は自分の犬も稔も疑ってはいないようだった。稔はほっとした。

「犬の交尾と日米親善とどういう関係があるのだ、莫迦者ども奴《め》が。犬の交尾まで持ち出してアメリカにゴマをするそのやり口が気に喰わん！」

放っておくと新聞社に怒鳴りこみかねない見幕だった。そしてもし新聞が、その不埒《ふらち》な犬はどこの犬か、誰がプラットホームにその犬を持ち込んだのかと調べはじめたりしては大変である。そこで稔は老少佐をなだめた。

「こう考えたらどんなもんだっぺね。交歓なんかじゃない、日本犬がアメリカの犬を征服したんだって……」

老少佐は山羊鬚を撫でてしばらく考えていたが、やがてうむと頷き、

「おう、いいことを言う。さすがは一高生、わが後輩じゃのう」

と稔を誉《ほ》めた。

この間《かん》、例の犬は老少佐の足許に坐り込み、ずうっと明後日《あさって》の方や一昨日《おととい》の方へ眼をやって知らんぷりをしていた。こういうのをたぶん馬耳東風、いや犬だから犬耳東風と

いうんだろうな。稔はくだらないことを考えながら学校のほうへ歩き出した。

学校には稔を愕《おどろ》かせることがもうひとつ待っていた。

一校時、週に一度のH・R《ホーム・ルーム》の時間に、出欠をとり終えた軽石が、その週の後半から始まる一回目の進学参考試験の実施要領の説明をしていたとき、教室の前の方の戸をがらっと勢いよく開けてひとりの生徒が入ってきた。その生徒を見て稔は思わず、あいやぁ、と言ってしまった。

不機嫌そうに固く閉じられた唇にも、少女のような長い睫《まつげ》にも、ひとを刺すような鋭い眼付きにも見憶えがある。昨日、駅のプラットホームで多香子ねえさんにすげない仕打をしていた、あの若い男ではないか。昨日は背広を着ていたので若い男といった印象だったが、今は学生服で、昨日の大人びた感じはなくなっていた。

彼はズボンのポケットに両手をつっこんだまま、軽石にぶっきらぼうな挨拶をした。

「……渡部俊介です」

稔は圧倒された。同じ年齢の少年が芸者といっしょに暮している。しかもそいつはあの日比谷からの転校生、勉強も不出来で、女とは妄想の中でしかつきあったことのない自分と較べてなんというちがいなのだろう。

「見ろ見ろ、あいつ、ずいぶんすかした学生服着てっぺ」

斜め後からデコが稔に囁いた。俊介の学生服が自分たちのそれと微妙にちがっているということには稔も気付いていた。稔たちのは織りの粗い黒い色の布地だ。しかも、いずれのも埃を吸ってなんとなく白っぽくなっている。それにどういうものか変に癖の強い生地で、衣紋掛けにさげると、かわりに透明人間がこっそり着ているわけでもないだろうに、肘のあたりがくの字に曲っているのだ。ところが俊介のはまず色がちがっていた。黒ではない。海軍色ともすこしちがうが、まぁ、いってみればそんな感じ、黒と濃紺と濃紫色とがまざったようなすかした色合いなのである。生地は本物のサージなのだろう、着用主の動作に素早く従い、忠実に反応する。着用主がその動作を元に戻せば、生地もまた素直に元へ戻る。決して変な癖はつかないはずだ。

「きみの席はとりあえず一番うしろだ」

軽石は出席簿を開き、欠席を遅刻に改めているのだろう、なにか書き込みながら言った。

「この学校は、組分けも席順も成績順だ。今週後半第一回の試験があるが、その成績次第では、五組へだろうと四組へだろうと、むろん一組へだろうと、好きなところへ飛んで行ける」

微かな笑みが俊介の面《おもて》に浮んだようである。それは自信から来た微笑というより、こちらの学校の一組なぞといっても日比谷へ行けば六組ですよ、という意味の軽蔑の笑いのように稔にはとれた。

「ところで渡部君、きみは外国語は何で受けるつもりかね。やはり英語かね、それとも独逸語《ドイツ》か？」

稔たちの高校では、第一外国語は英語、第二外国語が独逸語である。ジャナリなどは医者の子弟だから、先行きのこともあって、一年のときに、英語のほかに週五時間の授業のある独逸語を選択した。いや、正確にいえば選択しようとした。だが「おまえはまだ第二外国語のことなど考えることはないんじゃないのかねえ。英語さえもてあましているんだから」という軽石の忠告を容《い》れてよしにした。ジャナリはそのときはだいぶ不満そうだったが、いまでは軽石の忠告に感謝しているようだ。たしかに、いまだに化学変化と物理変化の区別もよくつかぬジャナリに複雑怪奇な独逸語の語尾変化など手に余るだろう。

ただ、一組や二組などの秀才たちの中には二年間で独逸語に練達し、どの大学でも英語よりは独逸語のほうが程度の易しい問題が出るという計算もあって、大学受験は独逸語でと決心をつけている者が十二、三人はいた。軽石は俊介にその念を押したのだった。

「どうかね、渡部君、やはり英語で行ってみるかね？」

俊介が相変らず押し黙っているので、軽石が重ねて訊いた。

「それとも……」

「フランス語で受けます」

こちらの田舎では外国語というと英語と独逸語しか思いつかないのですか、と憐れんでいるような調子が、俊介の声にはあった。

「……フランス語？」

問い返す軽石に自信たっぷりに頷いた俊介は大股に教室を横切り、最後列の空席に坐った。六組全員は俊介の発した僅か一行の「フランス語で受けます」という言葉に完全に圧倒され呑みこまれ、初めて飛行機を眼の前にした未開人のような驚きをもって、しばらくの間、この途方もない転校生に見とれていた。

三

俊介のフランス語の点数は、たったの十四点だった。

同時に試験を受けた稔・デコ・ユッヘ・ジャナリの四人の、英語の平均点は三十六点だったから、単純な比較を行えば、四人のほうが俊介よりも、外国語の実力は上、といえる。しかも、国漢、幾何、生物、人文地理という他課目の選択の仕方にも出来の悪い生徒たちと共通したところがある。ほんとうに出来るやつなら、幾何よりも解析I、生物よりも物理か化学、人文地理よりも日本史か西洋史を選択するはずなのだ。おまけに俊介の綜合点数は五百点満点の二百三十一点、これはユッヘとデコよりは半歩優るが、稔やジャナリには半歩劣る。つまり四人とは似たりよったりの成績なのだった。

(なんだ、秀才ぶってるわりには大したことねぇんでねぇの)

(日比谷高校もただの学校だっぺ)

稔たちは俊介の点数を講堂の壁の上に見たとき一瞬、彼を侮《あなど》った。だが、俊介の名前の右肩に朱筆で付してある但書を読んで、彼を侮る心を慌てて仕舞い込んだ。但書にはこうあった。

「コノ者ハ、仏蘭西語ニテ受験セル故ニ順位ヨリ外ス」

つまり、別格だというのだ。だがいったい別格とはどういう意味なのか。

稔・デコ・ユッへの三人が壁の前で、首を捻ったり傾《かし》げたりしている間に、ジャナリがどこをどう走り廻って仕入れたのか、いくつかの情報を手に入れてはぁはぁいいながら戻ってきた。

「つまり、学校側は、俊介に、順位をつけたくっても、付けられねぇのっしゃ」

「なんだっぺ?」

「俊介のフランス語の実力がわかんねぇからっしゃ」

「ちゃんとわかってんでねぇの。だって十四点と書いてあっぺっしゃ?」

「ところがそうでねぇのす」

俊介がフランス語で試験を受けたいと言い出したために、チョロ松以下の学校側は大さわぎをしたらしい、とジャナリは噂の受け売りを始めた。なにしろ、学校には、英語と独逸語の教師はいるが、フランス語の教師はいなかった。それが、たったひとりの転校生のために、問題出題者を探さねばならなくなった。そして、結局、地元の国立大の文学部助手に出題を頼むことになったが、

「ここまでが騒ぎの第一部、このあとしばらく休憩をいただきまして、第二部の口演とあいなります……」

「ばか。浪曲聞いてるつもりはねぇんだぞ、ジャナリ、待たせっぷりしねぇで早く次を教《お》せさい」

「ん。返ってきた答案を見て、国立大の助手がびっくりしたのが、第二部のはじまりっしゃ」

相手は天下に名だたる超一流校からの転校生だ、という先入観がその助手にはあったのだろう、日比谷の生徒がこんなに出来ないはずはない、助手はそう思い、俊介の実力を疑う前に、これは問題がすこし難しすぎたのではないかと、自分の出題の仕方に疑いを抱いたらしいのだ。

しかも悪いことには、フランス語受験者は俊介がただひとり、独逸語の場合なら十人以上の受験者がいるから、《ⒷはⒶより出来ないがⒸよりましだ。したがってⒷは中ぐらいの実力》という具合にそれぞれの学力を客観化できるが、俊介の場合はそれが叶《かな》わない。つまり《出来るとも言えるし、出来ないとも言える。また、出来ると言い切っても、出来ないと断定しても間違いである、どう考えてもよくわからない》という結論を、その助手は出したそうだ。

「国立大学の助手ともあろう学者の卵が、また、出すにこと欠いてお粗末な結論を出したもんでねぇの」

ユッへが言うとジャナリも頷いて、

「ま、そうっしゃ。だっともその助手ばかり責めるわけには行かながっぺ」

「なして？」

「その助手、うちの先輩なんだとっしゃ。おれだちと同じで、日比谷コンプレックス持ってんでねぇすか」

とにかく、次回は東大・東京外語大・早大・慶大などから最近三年間のフランス語入試問題を取り寄せた上、たっぷり時間をかけて、適正な問題を作成するよう心掛けると、彼《か》の助手はチョロ松あてに丁寧な詫び状を送ってきたそうだ。

「まぁ、あいつの実力は次の試験までは謎だということっしゃ」

ジャナリが報告を終ったとき、講堂に俊介が入ってきた。あいつどういう顔をするだろう。稔たちが興味津々で様子を窺っていると、俊介は一番から三百番へつうーっと目を走らせ、但書つきの自分の名の上にほんの二、三秒、視線を注いでいたが、ポケットからきっちりと折り畳んだ白いハンカチを出し、莫迦にしたようにちんと鼻をかみ、廻れ右をして行ってしまった。

ハンカチの眩しいような白さが稔の眼の底にしばらく残った。あのハンカチは多香子ねえさんが洗ってやったものだろうか。たとえ、あいつが日比谷にしては不出来な生徒であったとしても、なお、あいつと自分たちの間には、太陽・地球間ほどの遥かなへだたりがある。なにしろ、高校生なのにあいつには女がいるんだ。


五月初旬のある夕方のこと、家の勝手で立ってまま、夕飯を掻き込んでいると、裏口から多香子が入ってきた。

「おばんです……」

山菜の煮物をしていた稔の父親に軽くお辞儀をしてから、多香子は、

「あ、そうそ……」

となにか思いついて稔の傍へやってきた。

「あなた稔さんといったでしょ？」

声を掛けられたのは初めてである。稔は赤くなって頷いた。

「たしか一高でしょ？」

「……三年ですっちゃ」

「あら、何組？」

「……六組」

「なら、うちの俊ちゃんと同じ組だっぺ」

「まぁ、そうっしゃ。まだ口をきいたことはないんだけっともね……」

「じゃあ、こんど口をきいてやってけさいね」

多香子ねえさんは稔に軽く頭をさげた。なんとも言えぬいい匂いが稔の鼻を擽《くすぐ》った。

稔はぼうっとなった。

「稔さん、弟をよろしく」

「はぁ……」

首を縦に振りかけて稔はあっとなった。

「い、いま、なんて言ったんだっぺ？」

「弟をよろしく、と言ったのす」

稔はうれしさで自分の躰が風船のようにふわりと宙に浮び上がるような気がして、思わず箸を持った手で調理台の端を摑んだ。

「弟さんて、あのうつまりいわゆる弟さんのことだっぺか？」

多香子は笑いながら首を傾げて、

「だと思う。だって父が同じだものねす」

「えがった！」

稔は大声をあげた。

「えがったなぁ」

「そうねぇ」

と多香子がなにか考えながら言った。

「たしかに弟がいるっていいことっしゃねぇ」

「ん、じつにえがった」

多香子が座敷に行った後も、稔はしきりに「えがった、えがった」を連発しながら、飯を嚙み、汁を啜《すす》った。彼は急に食欲が湧いてきたようで、何回もお櫃《ひつ》からお代りをした。

「もういい加減にしたらどうだ」

煮物をしていた父が稔に向って菜箸を振った。

「うちの身上を喰いつぶさないうちによせっちゃ」

「ええの、ええの」

軽く受け流して稔は忙しく口へ飯を運ぶ。だがそのうちに、箸が茶碗の縁にふと止まった。

「渡部俊介に川村多香子、姉弟《きょうだい》なのになんで苗字がちがうのっしゃ」

「そりゃ母親がちがうからな」

「なんでっしゃ」

「お多香さんの母親は、静香といってむかしこの花街の売れっ妓《こ》だった……」

稔の父も菜箸を鍋の縁に置いて、遠くを視る眼付きになった。

「じつに美《うつく》すい女《ひと》だった」

「父ちゃんも好きだったのすか？」

「余計なごというな」

苦笑しながら父が言う。ははーん、と稔は思った。いまのは「そうだ」という笑い方だ。自分が多香子ねえさんを好きなように、父もその静香さんが好きだったんだろう。親子だけあって、やることが似ているな。

「その静香さんが、あるとき、第二師団の渡部という陸軍中尉と深い仲になった。やがて子どもが生れた。それがお多香さんだ……」

「その中尉と多香子ねえさんの母さんは結婚したのすか？」

「生れたのが男の子なら、静香さんは落籍《ひか》されて陸軍中尉夫人てぇことにもなったっぺね。だけっとも女の子じゃどうにもならない」

「なんで？」

「男の子は国の役に立つ……。だけっとも、女の子は何の役にも立たぬ」

「女は男の役に立つべし。つまりは間接的に国の役に立つ……」

「とにかくそういう時代だったたっちゃ。軍人に女の子は歓迎されね、その上相手は芸妓《ひと》だ。ふたりは別れた……。やがて渡部中尉は別の女《ひと》と結婚した。その女との間に生れたのが、おまえの同級生だっぺ」

「シナリオになるような話でねぇの。それで、なんで多香子ねえさんと俊介くんが一緒に暮すことになったのっしゃ?」

「あららら」

父が鍋の中を見て叫んだ。

「煮物の最中に手間のかかる話などさせっから、蕗《ふき》が煮え過ぎたべや!」

父の菜箸が飛んでくるおそれがあったので、稔は茶碗と箸を洗桶の中に抛り込んで、素早く階段部屋に姿を消した。


あくる日の一校時は化学だった。階段教室に入って行くと、最後の窓際のあたりに、他人《ひと》より早く登校して四人分の席を確保していたデコが、稔に手を振った。

「おう、こっちこっち」

階段教室だけは自由に好きなところへ着席していいことになっている。化学の教師は眼が悪く、そのせいか授業中は最前列と二列目の生徒ばかりに、ちょくちょくと質問の矢を放つ。したがって、六組の生徒にとってこのあたりの席は地獄の針の山、これに較べて、後方の席は極楽の蓮の台《うてな》、机をナイフで彫り刻もうが、居眠りをしようが、弁当を使おうが、「夫婦生活」を読み耽《ふけ》ろうが、そしてもちろん熱心に講義を聞こうが、化学教師の眼は届かず、安全なのだ。

稔はデコに手を挙げて応えておいて、教室の中をゆっくりと見回した。最後列の、窓際とは反対側の机で、俊介が頬杖をついて居眠りをしているのが見えた。俊介の隣りは空いている。この転校生にはまだこれという友人は出来ていない。不機嫌そうな表情がどうもとっつきにくい上に、秀才なのか凡才なのかまったく見当のつかないところがなんとなく不気味で、だれも積極的には近寄らぬのである。

稔は、俊介が自分のひそかに敬慕する多香子の男だと信じ込んでいたから、どんなことがあっても口をきくまいと決心していたが、今朝はもうちがう。どんどんどんと階段を登って行き、俊介に、

「やあ」

と声を掛けた。

「隣り坐ってもいいすか？」

俊介は薄目を開《あ》けて稔を視た。その眼がすこし愕《おどろ》いている。

「昨夜、君の姉さんと話をしたのっしゃ」

「……君か、『たじま』の息子は？」

稔は頷いて、椅子に腰を下ろした。

「君のことは今朝、姉から聞いたぜ」

「はぁ。で、多香子ねえさんは、おれのことなんつってたっぺね」

「特別にはなにも……」

「でも、なにか言ってたっぺ」

俊介はじろりと稔を視た。多香子に似て黒眸《くろめ》が大きい。睫《まつげ》が長い。

「ぼくたち姉弟のプライベートな会話を、なぜぼくは君に話さなくちゃいけないのだろう」

「あ、悪いごど訊いたっちゃ」

稔は亀のように首をすくめながら、なんというとっつきの悪いやつだろうと思った。

窓際の方ではデコが眼を瞠《みは》っている。そして、信じられないとでもいうように、ときおり、その眼を擦《こす》っていた。

「えーと……」

気まずい沈黙から脱け出すために、稔は思いついたことを口に出した。

「この町は初めてすか？」

「そう。ぼくは上野の動物園から北へは来たことがなかったんだ」

「この町をどう思うすか？」

「嫌いだな」

「……だけっと、此処には杜《もり》の都という別名があって、そのうどこにも緑が……」

「ないじゃないか」

「そうすか……」

「東京の方がまだずっと緑が多いや。この町なんだか薄汚いぜ」

「そりゃすみませんちゃ」

俊介はまたきっとした眼付きになった。

「君は此処の市長？」

「市長？　まさかぁ……」

「じゃぁ、謝る必要はないだろう」

ますます取りつく島がなくなってしまった。稔は鞄から「キネマ旬報」の五月上旬号をとりだした。仕方がないからこの時間はこれでも読んで過ごそう、と思ったのだ。

「……映画が好きなの？」

今度は俊介の方から話を仕掛けてきた。あ、こいつ、やっぱり話がしたいんだ。

「二年生のときに二百五十一本観たのっしゃ」

「かなり重症だな」

と俊介は言った。

「でも、沢山観たから人間、偉いってもんじゃないぜ」

と俊介は諭すように言い、ここから詰問の調子に変った。

「最近観たものは？」

「うん。ジェームス・スチュアートの『ウィンチェスター銃73』と江利チエミの『猛獣使の少女』。それからヴェラ・エレンの『銀の靴』、そんなとこだぺっしゃ」

「その三本に対する君の評価は？」

「……みんなまあまあだったっぺ」

「はっきりしないな。もっと具体的に言えないのか」

「う、うん。そりゃ、三本とも難点はあっぺっしゃ」

「どんな？」

「た、たとえば朝日新聞の映画評の『純』氏によれば……」

稔はキネマ旬報の頁をめくって、数葉の新聞の切り抜きを取り出した。

「『ウィンチェスター銃73』の場合、『純』氏は『……兄弟が岩ばかりの山で激しい銃撃戦を演ずる最後の部分がみものといえる程度』と書いてっけども、同感だっぺね」

つづけて稔は『猛獣使の少女』評の「……ただ江利チエミの大写しが汚いのを除けば、全体の調子がいやらしくないのが取得で……」というくだりや、『銀の靴』評の「……一般受けする娯楽レヴュー映画。ぼんやりと見ているのに適するものといえよう」という個所を読みあげ、

「まぁ、『純』氏の言ってることは、みな当っているんじゃなかっぺか」

　と結論を出した。

「『純』氏がああ言った、『純』氏がこう言ったと、『純』氏の意見ばかりで、君の意見は皆無に等しい」

　俊介の口調は鋭い弾劾の針を含みだした。

「朝日の『純』氏がそんなに有難いのか。ぼくに言わせれば、朝日の『純』なんてやつはとんだ間抜け野郎だぜ」

　稔たちにとって「朝日新聞」は「絶対・完璧・完全」などの名辞と等価だった。毎朝、東京から届けられる朝日は、稔たちには文字通り東方から昇る朝日の如きもので、それは光と力と正義であり、真理であった。朝日を疑うことは、キリスト教徒が基督《キリスト》の復活を、仏教徒が釈迦《シャカ》の成道《じょうどう》を、数学者が「1＋1＝2」を、マルキストが革命を疑うに等しい罰当りなことであった。もしも朝日の社説が「人間はすべからく逆立ちして歩くべきである」と述べるならば、稔たちは即日からその通りにして歩くだろう。その朝日を、そして映画少年たちが畏敬する「純」氏を、間抜け呼ばわりするとはなんという冒瀆《ぼうとく》行為だろうか。稔は口をぽかんと開《あ》けたまま、俊介の顔を見つめていた。

「じつはぼくもその三本の映画を観ているんだ。ぼくの考えでは『ウィンチェスター銃73』は、新しい西部劇の傑作だぜ。千梃に一梃という名銃を狂言回しにして西部劇の見せ場を次から次へと展開して行く語り口の鮮かさは並大抵のものじゃないぜ。なにが『最後の部分がみものといえる程度』だ。全篇、見せ場の連続じゃないか。『純』というやつはいったい自分を何様《なにさま》だと思っているんだろうな」

　不思議なことだが、俊介の言葉を聞くうちに、稔は躰の中をひと吹きの涼風が駆け抜けて行くのを感じた。じつを言うと稔はこの映画をわくわくしながら観たのだ。それも一回や二回では足りずに終映まで粘って三回半も観たほどだったが、「純」氏が貶《けな》しているのを読んで（そういえばあのときは風邪気味だったっけ。きっとその熱のせいで凡作を傑作と思い込んでいたんだ）と考え直したのである。だが、俊介の言うように、自分の見方のほうが正しかったのではないだろうか。

「それから『猛獣使の少女』だけど、江利チエミの大写しが汚かろうがきれいだろうが、映画の内容とは何の関係もないはずだ。それとも、主演女優の大写しの美しいことが名画の条件だという規則でもあるのかい？」

　問われて稔は思わず首を横に振った。そうしながら稔は心のどこかで（おれは今、朝日や「純」氏に対して重大な裏切行為を働いている）と考えていた。驚いたことにそう考えるとすこしの後めたさも苦《にが》さもなかった。むしろさわやかでさえあった。

「まったく、朝日の威光をかさに江利チエミの顔に文句をつけるなんて映画評論じゃないぜ。程度の低い月刊芸能誌のやることとさ。『銀の靴』の『ぼんやりと見ているのに適するものといえよう』に至っては、ぼくは義憤さえ感じるのさ」

俊介は稔などがまだ使ったことのない難しい言葉を吐き出すように言って、どしんと机を叩いた。他の机の生徒たちの眼が俊介と稔に集まっていた。

「『銀の靴』のヴェラ・エレンの、あのいきいきした歌と踊り、あれを、ぼんやりと見ているのに適するものと言えようだなんて、この『純』公はよっぽど鈍感なやつに違いないぜ。彼女こそショー・ビジネスの女神だ。ああヴェラ・エレン、ぼくは好きだねぇ」

まったくその通りだと稔は心の中で何十回も相槌を打った。稔は自室の階段部屋の壁に映画の友から切り取った下《しも》ぶくれのヴェラ・エレンの顔写真を貼っているほど、彼女が好きだった。ただ「純」氏に忠誠を誓っている関係上、彼女の写真は壁の隅の方に押しやられてはいるのだが。帰ったら早速、ヴェラ・エレンの写真を壁の真中に貼り直さなくちゃ。

「……というわけで、ぼくはこの三本の映画を、かなりの名作だと思っているんだ」

「俊介くんて、まるで映画評論家のように喋るんでねぇすか」

稔は朝日新聞の切抜きを手にとりながらそう言って、俊介の目の前で、その切抜きをゆっくりと引き千切った。

「……おれも前から朝日ってなんて駄目だろうと思っていたところだったのっしゃ」

稔にとってついさっきまで神に等しかった切抜きが、いまや只の紙となって机の下に舞った。稔は自分が、二年のときに西洋史で習ったあのマルチン・ルターになったような気がした。旧《ふる》い神が否定され、新しい神がついに現われたのだ。裏門で太鼓が鳴り、化学の教師が入ってきた。床に散った紙屑を足駄で踏みにじった稔は、さっぱりした表情になり、机の上に教科書をひろげた。

数日後のある夜のこと、寝床の中で稔が何気なしに第二放送をつけると、

「……最近の大新聞の映画評には、映画に愛情を持つという一番大切なことが抜けているような気がしますねぇ」

という声がいきなり飛び出してきたので、おやと思わず聞き耳を立てた。声の主は高名な映画批評家で、彼はこう続けた。

「たとえば『ウィンチェスター銃73』という映画がありますが、これは新しい西部劇の傑作だと思います。千梃に一梃という名銃を狂言回しにして西部劇の見せ場を次から次へと展開して行く語り口の鮮かさは並大抵の才能ではありません。ところがある大新聞の映画評はこの映画を、最後の部分がみものといえる程度などと酷評しております。私はその評を書いた映画記者の感受性を疑いたくなりますね」

映画批評家はつづいて『猛獣使の少女』や『銀の靴』についても言及したが、彼の話の中身もその表現も、数日前の俊介と怖しくなるほどよく似ていた。稔は、この批評家はあの時、階段教室に忍び込み机の下に隠れて俊介の意見を盗み聞きしていたのではないかと、ふと疑った。

（それにしてもたいしたもんだぺっちゃ。俊介の批評能力はまるでプロ級だっぺ）

番組が終ったので稔は、そんなことを呟きながら、ダイヤルを第一放送へ回そうとした。女のアナウンサーが言った。

「……ただいまの『映画批評を批評する』は、去る五月一日に放送したものの再放送でした」

だとすると映画批評家が俊介の意見を盗み聞きしたわけじゃないぞ、と稔は思った。ひょっとしたら事実はその逆ではないだろうか。俊介が放送を聞いてそっくり受け売りしたのでは……、そこまで考えて稔はあわてて横に首を振った。稔は新しい神を偽物だと断定するのが怖かったのである。

「それに受け売りならそれでもいいぺっちゃ」

しばらくしてから稔は大きな声でひとり言を発した。

「こういう放送をきちんと聞いて、ちゃんと憶えておくだけでも、なかなかたいした奴ではねぇのすか」

この思いつきは稔を安心させたようだった。ラジオをつけっぱなしにしたまま、稔は間もなく大きな寝息をたてはじめた。

四

間もなく教室の外の桜の老樹がみごとな若葉をつけはじめた。

ある昼休み、俊介が窓際に立ってその若葉をぼんやり眺めているのを見つけた稔は、彼の隣りに並んだ。

「俊介くん、酒のほうはどうだっぺ」

「どうだっぺって、どういう意味だ」

「飲むすか？」

俊介は桜の若葉から稔に眼を移し、じつに慨嘆に耐えないといったような口吻《くちぶり》で、

「この土地の訛りは間が抜けているねぇ」

「そ、そうすか？」

「ありがとうございますを『ありがとうござりす』、行きますかを『行きすか』、飲みますかを『飲むすか』、なんでもまを抜くんだね」

ここで俊介はにやりとした。

「だから間が抜けていると言ったのさ」

いきなり自分たちの訛《なま》りをなじられたので、固い表情になっていた稔はほっとした。

「……なかなかうまいことというんでねぇの」

「ところで酒は飲むかという今の質問だけどねぇ、ぼくはこれでなかなかいける口なんだ」

いける口、などと俊介は大人びた言葉を使った。

「酒でぼくを負かそうなんてことを、もしも君が考えているのなら、とんだ計算ちがいというものだぜ」

「そ、そうでねぇのす」

稔は慌てて、自分の家は君も知っているように料亭だ、銚子を三本ばかりちょろまかすことに成功し、自室の、積みあげた雑誌の蔭に隠してある、それを御馳走しようと思っただけだ、と説明した。

「銚子が三本か、まあ、飲まないよりはましだろうねぇ」

俊介はこう言って頷いた。稔はノートを破って詳しい地図を書き、裏の道へ入ると目の前に明り窓があるから、小石を窓に投げて合図してほしい、と付け加えた。

その夜、稔が勝手からさらに銚子を一本ごまかして部屋へ戻ってくると明り窓のガラスがかちんと音をたてた。

「俊介くんすか、今、窓を外すから。それにしても早かったすね」

と言いながら明り窓を取り外すと、デコの胼胝《たこ》面《づら》、ユッへの髭面、ジャナリのにきび面がぞろっと繋って中へ入ってきた。

「このぅ、稔の新しもの好きめ」

いつもの定位置の、戸棚の寝床へごろりと横になったユッへは、稔から銚子をひったくった。

「おめえ、このごろ、俊介の後ばかり追っかけているんでねぇの」

ユッへは酒をラッパ飲みで三《み》口《くち》四《よ》口《くち》、それから噎《む》せながら銚子を階段に腰を下ろしたジャナリにパスした。

「ほんとうにおめえってやつは情けのねぇやつだっぺ」

とジャナリは稔をなじり、なじった口を天井に向けて、銚子をその口に垂直に立てた。大人も顔負けの豪傑飲みだが、すぐ馬脚をあらわしてこれまたひどく噎せ返る。ジャナリは口のまわりを手の甲で拭《ぬぐ》って、銚子を机の上にあぐらをかいていたデコにトスした。デコは飲みつけているのかべつに噎せもせず銚子を縦に咥《くわ》えていたが、やがて口を離し、

「俊介は多香子ねえさんをおれたちから奪《と》った憎いやつだっぺ」

と言いながら、銚子を稔に返してよこした。三人を一周する間に銚子はあらかた空《から》になっている。

「もったいねぇ飲み方するなぁ」

稔は左の掌の上に銚子を振って、その掌を舐めていたが、ふと気が付いて、

「あ、そうか。おれ、まだ、あのことをおめえたちに話していなかったのっしゃね」

と三人に言った。

「俊介は多香子ねえさんの男でもなんでもねぇのっしゃ。ただの弟……」

「ほんとか？」

三人が一斉に同じことを口にした。

「ほんとほんと。多香子ねえさんから直接《じか》に聞いたことだから間違いねぇのっしゃ」

よし！　と三人がまた同じことを一斉に叫んだ。そこで稔はいつか父が聞かせてくれた渡部中尉と名妓川村静香の悲恋を三人に話し、ついでに、

「……俊介がおらほうの学校さ転校してきたのは、俊介の母親がこの春、病気で死んだからだそうっしゃ。つまり、父親は戦争中に戦死、今度は母親が病死でひとりになっちまったわけ。そんで腹ちがいの姉の多香子ねえさんとこさ引き取られたってわけっしゃ」

という、仲居のおばさんたちから蒐集した最新の情報をおまけにつけた。

「とっつきの悪いやつだけっとも、あれでなかなか苦労人なのっしゃ」

と稔が話し終えたとき、デコが、

「痛《い》てっ！　だれだっぺ、おれに石ぶっつけたのは？」

と声をあげ、サッカー部の名ウィングだったにしては機敏さに欠ける身のこなしで、ゆっくりと外の暗がりを透し見た。もう酒がきいてきたらしい。

「……稔くんか？」

街灯のあかりをぼんやりと浴びながら俊介がこっちを見上げている。明り窓のガラスを嵌めておかなかったので、俊介の投げた合図の小石がデコに当ったらしい。デコを押しのけて稔が窓から顔を出した。

「俊介くん、窓の下の屑箱を踏み台にして、あがって来いっちゃ」

「ほかに誰かいるのか？」

「ああ。でもみんな、あんたの見たことのある連中ばかりなのっしゃ。さ、あがらい、あがらいっちゃ」

俊介はほんのしばらくなにか考えていたが、やがて屑箱の上に乗って、胸から上を窓のこちらへ差し入れてきた。そこを稔とデコが引っ張り上げた。

「この窓の出入りはちょっとしたコツがあるんだっちゃ。まあ、そのうち慣れっから」

と言いながら稔は階段の、雑誌を積みあげた段の隅を探って銚子を三本取り出し、そのうちの一本を俊介に手渡した。

「さ、ぞんぶんにやってってけさいや」

俊介はありがとうもいわずにひと息に呷《あお》る。ユッヘたちは酒が入ったのと、多香子と俊介の間柄を稔に聞いて安心したのとで、よし！　ええぞぉ！　頼もしいっ！　などと上機嫌な声を張りあげた。そのとき外で、

「あら、こらら、先生《せんせ》に言ってやっぺ、生徒《せーと》が酒のんで、酔っぱらっていっぺっちゃ」

と節をつけて囃《はや》す声がした。

街灯の下から窓を見上げているのは、少女とも成熟した女ともつかない娘である。顔は子供《おぼこ》だが、躰が大人なのだ。とくに、河豚《ふぐ》のようにせり出した腹部が、彼女がもう充分以上に大人であることを完璧に証明している。

「なにそんなどこで道草くってんだっぺ」

稔が叱るような口調で言った。

「ハツ子、あんまり夜遊びばかりしてっと、お父《と》ちゃに叱られっぺ」

すると彼女は急に怯《おび》えたような表情になり、張子の虎のように首をゆらゆらと揺すりながら、街灯の光の輪の中から立ち去った。

「あれは何者だい？」

と俊介がだれにともなく訊いた。

「おらだちの小学校のときの同級生で、煎餅屋の娘なのっしゃ。すこし此処がおかしいんだっぺ」

稔が頭を軽く叩いてみせた。

「ふうん。妊娠してたみたいだけど……」

「だれかにやられたのっしゃ」

デコが怒ったような声を出した。

「悪い奴がいるもんだ。そいつがうまいこと言ってやっちまったんだっぺっちゃ」

デコの眼の端から涙が一筋すうっと流れた。将来こいつは泣き上戸になるかもしれない、と稔はデコの涙の跡を見ながら思った。

「あの腹の出っ張り具合は、まず妊娠六カ月つうどこだな」

ジャナリは医者の子弟らしい診立てをした。

「まず、六カ月に間違いねぇっちゃ」

「六カ月つぅと仕込まれたのは年末年始だっぺ」

とユッへが指を折った。

「ん。たしかに年末年始っしゃ。どこで仕込まれたのだか知らねぇけっとも、ま、どうせどっかの小屋か戸外《そと》かだっぺ。ずいぶんと寒かったんでねぇのすか」

「おれがやったんなら最後まで責任とるがねぇす」

稔が言うと三人は深々と頷いた。

「おれたちのうちのだれかがやっちまったほうが、ハツ子にとっては仕合せだったかもなぁ」

しみじみとした稔の言葉に三人がまた深々と頷いた。稔はふと来春、地元の国立大学の医学部の一年生になっている自分を空想した。稔は背中に乳呑児を背負って講義に出ている自分の姿をありありと視た。彼はハツ子を醜聞から守るために、彼女を妻にしたのだった。だが頭の弱いハツ子に赤ん坊を預けてはおけない。大学へは、そこで子連れで行くのである。昼休みの医学部構内のベンチで、稔は赤ん坊にミルク壜をくわえさせながら、独逸語の学習に励む。そこへ若い看護婦がふたり通りかかるはずだ。ひとりはヴェラ・エレンのように潑剌《はつらつ》とした娘、もうひとりは宮城野由美子のように控え目な娘でなくてはならない。

「あの学生さんは自分から進んで私生児のお父さんになったんですって」

とヴェラ・エレンは宮城野由美子に囁く。宮城野由美子は頷いて、

「あの方は奥さんの頭の病気を治すために、将来は脳外科を専攻なさるそうよ」

とわが胸を抱く。それから二人は溜息をつきながら、同じ熱い想いに胸を燃すだろう。

(ああ、わたしたちにもあんな方がいたら……)

「同情がなになるんだ！」

不意に耳許で俊介の怒鳴る声がしたので、稔は緑あふれる医学部の構内から薄暗い階段部屋へ戻った。

「同情でいまの女の子のお腹がへっこむのか」

俊介が蒼い顔をして板張りの壁をどんどんと叩いた。ざらざらざらと板のうしろで土壁が崩れる音がした。

「あんまり叩くと壁が抜けるす」

「壁なんか抜けろ！」

「そうはいかねぇのっしゃ。親父に怒られるっぺ」

俊介というやつは怒り上戸にちがいない、と思いながら稔は彼の拳骨を両手で抑えた。

「口先ばかりの偽善者ども！」

俊介の大声はやまない。

「くたばっちまえ！」

「おれたちになにが出来るっていうのすか」

「せめてお産の費用ぐらいあの子に贈ったらどうなんだ。産衣《うぶぎ》の一枚も買えるような工夫をつけてやれ。それが同級生のよしみというものだろう」

「……そ、そんな金、だれが持っているっていうのっしゃ？」

「だからカンパだ！」

「カンパ？」

「大衆に呼びかけるんだ。そうして、寄付をしてもらうんだ！」

声を限りに叫び、俊介はとうとうその場にひっくり返ってしまった。『ちょっといける口だ』などと威張っていたが、口ほどにもないらしい。

「さすが、東京者《もん》だ。カンパとはユッヘ・ユッヘ・ユッハイザだ！」

ユッヘが足を踏み鳴らした。すっかり興奮したデコが机の上に勢いよく仁王立ちになった。頭が天井板を二、三枚突き上げた。痛いはずなのにデコは顔色ひとつ変えない。酔いが回っているのと、ヘッディングで頭を鍛えてあるのでこたえないのだろう。

「おらの学校には九百人の健児がいるんだっぺ！」

デコがよろよろしながら言った。

「その九百から十円ずつ集めるつうのはどうっしゃ？」

「九千円！」

と稔たちが叫んだ。

「莫迦者《もん》ども！」

そのとき、階段部屋の下の入口のドアが開いた。顔を出したのは稔の父親である。

「座敷の騒ぎにしちゃすこし品がなさすぎると思ったら、おまえらか！」

なにか気のきいた返事をしなくてはと思いながら、稔は気を失っていった。

あくる日の午後、学校の裏門の前に、

「煎餅屋のハツ子さんに元気な赤ちゃんを生んでもらおう！」

と書いた看板を立て、稔たちはそのそばで下校する生徒たちにビラを配っていた。看板もビラも五人で用意したもので、ビラの文章は稔と俊介とジャナリが、一校時から四校時までかかって練りに練った。

「赤ん坊の父親は君かもしれない！」

ビラの冒頭は脅迫じみた一句からはじまっていた。

「……あるいはそうでないかもしれない。いずれにせよ、われわれは君たちの義侠心に訴える。さて、われわれの学校の裏門の北西五百メートルのところに一軒の煎餅屋がある。ここの堅焼煎餅はすこぶる美味である。諸君、折りあらば乏しき嚢中《のうちゅう》をさき購《あがな》い求めて食《しょく》せよ」

出だしの物々しさに較べるとこのあたりは平和なものである。先を読まぬものは煎餅屋のチラシと思うかもしれない。

「この煎餅屋に純情の乙女ありて、その名をハツ子という。われら発起人のひとりの小学生時代の学友なり。さてこの春のことなりき、乙女の腹部いちじるしく膨脹せり。家人大いに怪しみて『何の故ぞ』と問えど、乙女ほほえむばかりにて答えたまわず。されど腹てふものは故なくして膨れるものにあらず、結果あらばかならず原因あり。原因は飽食なるか。否、否、否とよ、純情の乙女は純情なるがゆえに腹中に一子を宿したるなり。腹中の一子の性別いまだに判明せざるは当然なれど、その一子の父親の誰なるかいまだ明らかならざるは尋常のことにあらず。乙女は顔にては笑えども心中大いに困惑せり」

このくだりが珍奇な文語調になっているのは、これを書いていた二校時が古典国語の時間だったからだろう。すこし真面目にならないと事が事だけに失敗するぞ、という反省があったのか、以下は平明である。

「みなさん、ハツ子さんがひとり淋しく出産するのは、おそらく落葉のはらはらと降る、風も冷たい晩秋だろう、と思われます。ハツ子さんの店が一高に近いのも何かの縁でしょう。この薄幸のうら若き母親のために出産費用をカンパしてください。そして、生れてくる赤ちゃんのために、産衣やおしめを買う金をカンパしてください。

一高生がひとりのこらず、義に厚い人たちであることを信じています。

カンパの金額は一円から一億円まで、いくらでも結構です。

三年六組発起人一同」

ユッへとデコは稔たちの切った原紙を昼休みに職員室で刷った。そして、稔たちは、ユッへとデコがどこからか見つけてきた立看板に大きな字を書いた。

むろん、朝のうちは五人ともこのカンパニアにはあまり気乗りはしていなかった。酔って交わした約束や誓いは、あくる朝になると白けるのだ。

しかし、稔たちにも俊介にも、なにかお互いに意地のようなものがあったようである。簡単にいえば、すまんあれは酔った約束で、と詫びるのがいやだったのだ。もうひとつ、それとは逆に、この事業を一緒にやってのけることによって、お互いの繋がり方がより緊密になるのではないかという予感と、そして期待があったことも否めない。

しかしどうも稔たちの学校の生徒には義人が尠《すくな》いようだった。裏門から吐き出されてくる生徒たちは立看板を読んで「あらら？」という顔をし、ユッへとデコとジャナリの手渡すビラに眼を落してくすりと笑い、それだけのことでさっさと立ち去るか、裏門の真向いの一高軒のガラス戸の中に消えるか、どちらかなのだった。なかにはビラを読むうちにゲラゲラと笑い出す輩《やから》もあった。そういう輩には「こら！」とデコあたりが大喝したが、赤い羽根や白い羽根のように素姓の正しい浄財集めとちがい、出産費用カンパなどは絶後とはいえないまでもおそらくは空前のこと、しかもビラの文面がなにやら怪しげなのであるから、笑うのが当然、それを咎《とが》める方に無理がある。

小一時間ほどのカンパ活動で稔と俊介の紙袋の中に投ぜられた義金は十円玉で五十枚

もなかった。

生徒たちの流れがふと跡切《とぎ》れ、手持ち無沙汰になったらしいデコが大きな欠伸《あくび》をした。が、デコはそのまま口を開けっぱなしにし、通りの坂の上の方へ眼を据えたままになった。

「あ、一高軒の子だっぺ」

デコが口を開けたままで言った。稔たちはわれ先にデコの視線の先を視た。

白いブラウスに紺のスカートの若い娘がこっちにやってくるところである。ブラウスはたびたびの洗濯でよれよれになり、紺のサージのスカートは擦《こす》れてていかてかに光っていた。履物は赤い鼻緒の下駄だった。これも鼻緒の外側に継《つぎ》布が当ててある。だが、若い娘から受ける印象はすこしもみじめではなかった。

それは彼女の眼のせいだろうな、と稔はいつも思う。大きくてきれいな眼だが、眼尻のあたりが、いつも底意のなさそうに笑っているのだ。鼻筋が通って、唇の形もよい。下手をすると整いすぎて冷たい顔立ちになりそうなところを眼が救っているのだった。

ユッヘがその若い娘を見ながらいつかしみじみと「あいやぁ、山坂道で岩清水を見つけたときの気分のような娘だっぺ」と呟いていたのを稔は耳にしたことがある。山にはあまり縁のない稔にもそのときのユッへの言葉はぴしゃりと胸におさまった。

彼女は五人の前を通り過ぎて、一高軒の中に入って行った。一高軒で彼女を張り込んでいた白線三本組がどっと声をあげたり、拍手をしたりした。

「あれ、誰だい？」

俊介が稔に訊いてきた。

「ミス一高軒す。毎日三時から六時まで一高軒の手伝いに来てるんだっぺ」

俊介は、そうするとアルバイトか、とひとり言のように呟いて、それからお道化《どけ》た調子で、

「鄙《ひな》には稀な、ってやつだぜ」

「はあ……？」

「美人だってことさ」

「そりゃもうみんな夢中だっぺ。あの子が来てから一高軒の大福と饅頭の売上げが、前の三倍になったそうっしゃ」

「名前は？」

「ひろ子」

「苗字は？」

「これが謎っしゃ」

「どうして？」

「余計なごど、ひとっことも喋んねぇの。だれが訊いても教《お》せねのっしゃ」

このとき、裏門校長が門の横に長い竿を立てた。竿頭に赤い旗が翻《ひるがえ》っている。稔が赤旗を指して俊介に言った。

「ひろ子が一高軒さ到着すっと裏門校長があぁして赤旗立てんだっぺ。赤旗を見て、グラウンドの運動部の連中が、それっひろ子が店さ来たつうんで走ってくる……」

「かわった学校だなぁ」

俊介は嘆声をあげた。

「でも、裏門校長はなぜそんな仕事まで引き受けているんだろう」

「さあ、余りものの大福でも貰ってるんでねぇのすか」

そのうちにスパイクで地面を叩く音が近づき、五人の横を通り過ぎ、一高軒に雪崩《なだ》れ込んだ。野球部の連中だった。

ガラス戸越しにひろ子の立ち働く姿が見えた。テーブルに大福を運んだり、大薬罐を両手で持って茶を注いでまわったりしながら、ときおり稔たちの方へ視線を向けてくる。

(出産カンパだなんてほんとうに心のやさしい生徒たちなのね)

ひろ子の眼がそう語っている、ような気が稔にはした。

(とくにあの小柄な生徒は熱心だわ)

小柄な生徒とは稔自身のことなのだ。どうやら稔の空想がまた得手勝手な翼をひろげはじめた様子である。

（ほんとうに感心だわ。あの小柄な生徒にあとで大福をたべさせてあげよう）

稔は閉店後の一高軒の店内に、自分とひろ子が差し向いでいる光景を思い描いて、にやりと笑った。閉店後というぐらいで店内にいるのは二人っきりである。カーテンが引いてあるから外からは見えない。一高軒の女主人《あるじ》であるおばさんも気をきかしたのかいないようである。テーブルの上に山と積まれたひろ子の奢《おご》りの大福を一個もあまさず平らげた稔は、いきなり「これが大福のお礼です」と言って、ひろ子にとびかかり、彼女を床几《しょうぎ》の上に押し倒す。

「あれぇ、稔さん、そんなことをするのはまだ早いわ。あなたが福島大へ合格しないうちはだめ！」

なぜ福島大なのだ、と稔は一瞬考えた。ひろ子のためなら東大だろうが京大だろうが狙ってあげるのになぜ福大か。ここまで考えてあっと思い当った。大福だから福大なのだ。

「えらい」

はっとして稔は空想の翼を捥《も》がれ現実の世界へ叩き落された。その軽い衝撃で一、二秒、眼の焦点が合わない。

「さすが一高生、わが後輩、男子は男子らしく堂々と責任をとるとは感心じゃ」

稔の前で山羊鬚《やぎひげ》を何度も前後に振っているのは、稔の家の隣りの元陸軍少佐だった。

散歩の途中なのだろうか、木刀を右手に杖がわりにつき、左手に柴犬の鎖を握っていた。

「このハツ子という女を……」

と老少佐は立看板に目を泳がせ、

「きみたちがそのう、なにしたんじゃろう」

と、また視線を稔に戻した。

「やりっ放しで逃げるやつが多いご時勢にあくまでも責任をとろうという諸君らの行為はじつに尊い。ううむ、士道いまだ滅びず。ああ愉快、いやぁ極楽じゃのう」

「そ、そうじゃねぇのっしゃ」

稔たちは老眼鏡を持ってこなかった老少佐のために交代でビラを読みあげた。眼を細め山羊鬚を顫《ふる》わせて耳を傾けていた老少佐は、ビラの朗読が終ると、さらなる大声を発した。

「ますますえらい！　やりもしないのにこの人助け、じつに見上げたものだ。ううむ、生きておってよかった、いやぁ極楽じゃのう」

俊介が老少佐に紙袋を差し出し、それを揺すって銭の音をさせた。

「じゃあ、いくらか寄付をしてください」

「惜しいのう、わしは財布を持ってこなかったのじゃ。この次まで借りておくぞ」

やれやれと稔たちが顔を見合せていると、そこへ、坂上から五十年配の小肥りの男が、下駄を鳴らしてやってきた。

「やめてくれっちゃ！　ハツ子の恥をこれ以上、世間様に晒さんでくれっちゃ！」

ハツ子の父の煎餅屋だった。日焼けしたような赭《あか》ら顔は、堅焼煎餅を焼くために一日のほとんどを炭火の前で過すせいである。つまり日焼けではなく商売ものの煎餅同様に火焼けしているのだった。

「からかうのはやめてくれっちゃ！」

ハツ子の父は立看板に躍りかかり、足搦《あしがら》をかけて立看板を地面に叩きつけ、下駄で何回も踏みつけた。彼の手にはビラが握りつぶされている。きっと近所のお節介屋が、一高生の捨てていったビラを拾って親切ごかしの面白半分に、煎餅屋に届けたのだろう。そんなことを頭にぼんやりと思い浮べながら、稔たちはハツ子の父の見幕をおそれ、止める気力もなくただ棒立ちになっていた。

「他人《ひと》を嗤《わら》いものにしてなにがおもしろいのっしゃ！」

立看板を一枚めちゃくちゃにしたぐらいでは納まらないのか、ハツ子の父はデコからビラを奪い取って、

「なんだっぺ、こげなもの！」

と地面めがけて叩きつけようとした。

「早まるでないぞ、煎餅屋」

老少佐が杖がわりの木刀をハツ子の父の鼻先にぴたりとつけた。ハツ子の父はふいごのように激しく喘《あえ》ぎながら、それでもすこしは気を呑まれて老少佐を視た。二人とも同じ町内の住人だからお互いに顔ぐらいは見識《みし》っている。

「これらの諸君はいずれも高校の最上級生、大学受験の準備あり、また各運動部の重鎮としての活動あり、皆多忙である。その多忙のなかでだれが遊び半分で、このように手間のかかることをすると思うのかね。これらの諸君は皆やむにやまれぬ義心から、貴重な時間をさき、また限りある小遣いをさき、あんたの娘の仕合せのために、なにかしてやりたいと働いておるのじゃ。それを考えずに暴れまわっては罰が当るぞ」

ハツ子の父は頭の上に持ちあげていたビラの束を、ゆるゆるした仕草で下におろし、やがて胸に抱きしめた。

「……煎餅屋、あんたは娘を不仕合せなやつだと思っとるだろう。だが、わしはそうは思わんぞ。あんたの娘はおそらく日本一の仕合せものじゃよ。なんとなれば、あんたの娘にはこれらの義人がついとるのだからのう」

急にハツ子の父の眼に泪《なみだ》が溢れた。一高の生徒さん方のお気持は一生忘れません、と彼は涙声で言った。ハツ子が男の子を生んだらきっと名前は「一高」とつけます。一高と書いて「カズタカ」と読ませます。

「うむ、一高《かずたか》か。いい名じゃのう」

老少佐は満足そうに山羊鬚を撫でていたが、ふと真顔になり、ハツ子の父に訊いた。

「男なら一高《かずたか》、これは決った。だが、女の子だったらどういう名をつけるのかね？」

そこまで考えていなかったと見えハツ子の父は、また眼にどっと泪をためた。

（いまから女の子が生れたときの名前の心配などさせなくてもいいじゃないか）

稔はとぼとぼ坂上へ去って行くハツ子の父の背中を眺めながら、老少佐をすこし恨めしく思った。

その夜の七時ごろ、百枚ほどの十円玉の入った紙袋をさげて、稔たちは煎餅屋へ行った。

炭火の前で煎餅を焼いていたハツ子の父が稔たちにぺこりと頭をさげ、首に引っ掛けた手拭で顔を拭きながら、

「ハツ子なら裏にいるはずだっちゃ」

煎餅を挟む長箸で背後を指し示してからこう付け加えた。

「あとでまた表に寄ってけさい。煎餅差し上げっからっしゃ」

裏にまわると、ハツ子が火吹竹でぼうぼうと風呂の焚《た》き口を吹いていた。

「ハツちゃ……」

ハツ子の小学校時代の同級生ということで稔が皆を代表して彼女に声をかけた。

「これっぽっちじゃ何の役にも立たねぇけっぺども、まぁ受け取ってけさいや」

ハツ子は五人をゆっくり見まわしたあと、稔のほうへおそるおそる手を差し出した。その手に稔はしっかりと紙袋を摑ませた。ハツ子は袋の中を覗き、入っているのがたくさんの十円玉だと知ると、顔いっぱいに嬉しそうな表情を浮べ、

「稔ちゃ、ありがと」

と言った。

それからハツ子は静かに地面に横たわると、スカートの裾を上にまくりはじめた。風呂の焚き口の火が彼女の白い肌を赤々と染めあげている。ハツ子はスカートの下に何も着《つ》けていなかった。

「ここさ来さいな」

ハツ子は右手に摑んだ紙袋を振った。

稔たちは息を詰めたまま、やっとの思いで垣根のところまで後退《あとじさ》りし、そこからは全速力で走り出した。

金をやるよ、と誘われてハツ子はどこかの男に躰をまかせたのにちがいない。だから彼女は稔から金を受け取ったときも、躰を開いて彼を迎え入れなくては、と思ったのだろう。なんてことっしゃ、なんてことっしゃ、と呟きながら、稔は自分の家の前も通り越してなおも走った。

五

一高軒へアルバイトに来ているひろ子が二女高の三年生だとわかったのは、教室の外の桜の老樹の青葉が、降り続く梅雨に濡れて黒く光っていた、六月中旬のある午後のことだった。

ハツ子の出産費用捻出のカンパ以来、俊介は稔たち四人と一緒に行動することが多くなっていたが、その日も「帰りに一高軒で大福でも喰うすか」と五人の相談がまとまった。北校舎の長い廊下をぞろぞろと歩いて行くと食堂の外に人集《ひとだか》りがしていた。

「なに騒いでんだっぺ」

人集りの中に下級生のサッカー部員がいるのを見つけてデコが訊いた。サッカー部員はにたっと笑って、

「二女高の演劇部の代表が来てんのっしゃ。一高《うち》の演劇部と合同公演の相談ばしてっとこだとっしゃ」

でもねぇっぺ」

「なんだっぺ、そのにやけた面《つら》は。まさかおめえ、女学生を生れて初めて見るつうわけ

デコはサッカー部員の泥だらけのシャツの背中をつまんで引っぱり出し、かわりに自分が後釜に入って食堂の中を覗き込んだ。

一高の演劇部が二女高の演劇部に働きかけて秋に合同公演を持つかもしれないという噂は、稔も何度か耳にしている。これまでの一高の演劇部の公演では、女の登場人物には皆女形が扮《ふん》していた。そんなものは薄気味悪くて見る気がしない。だから稔はこれまで一度も一高演劇部の観客になったことはないのである。だが、二女高生が出るとなれば話はべつだ、合同公演なら見てもいい……、稔がそんなことを考えていると、食堂の中を覗き込んでいたデコが大きな声で「うむ」と唸った。これはなにかある証拠である。窓にへばりついていた白線二本組や一本組を引き剝《は》がして、稔たちが代りに顔を窓から食堂の中に差し入れた。

いつもならあちこちに点在している正方形のテーブルが中央に集められて、一本の長いテーブルになっていて、それをはさんで向う側に二女高生、こちらに背を向けて稔たちの学校の演劇部員が坐っていた。

二女高生は五人いた。

壁の黒板に近い方からいうと、まず、吊り上がった眼に眼鏡をかけたよく喋る女の子、

痩せていて色白なところが稔の好みに合うが、いかにも小生意気そうである。点数をつければ六十五点といったところだろうか。きっと演劇部の主将《キャプテン》なのだろうと稔は踏んだ。

その次の女の子は、テーブルの上にノートをひろげ、なにかせっせと書き込んでいる。主将らしい女の子が何か言うたびにさも我が意を得たりというように頷いている。主将らしい女の子の腰巾着なのだろう。顔は可もなく不可もなく、まあ五十五点てところかな、と稔は呟いた。

三番目のはテーブルの上に置かれたアンパンをむしゃむしゃ喰っている。ときどき、ぐびぐびと音をたてて牛乳を呷《あお》る。肥っていて顔もよくない。演劇部という顔ではない、どっちかというと山岳部向きだ。まぁ三十点。だいたい男の子の前で食い気ばかり発散しているのは無神経ではないか。食い気なぞは家に帰ってから台所の戸棚の前で出してもらいたい。稔は三十点減点して、「零点！」と小さく言った。

四番目はただもう照れていた。ハンカチを捻《ひね》ったり捩《ねじ》ったりまるめたり齧《かじ》ったりしている。顔立ちはさほどではないが、男の子をそこまで意識しているのは賞められてよいことである。稔はそこが気に入って六十点を呈した。

そして五番目がひろ子だった。一高軒で働いているときの大人びた雰囲気は、今は制服に包まれ隠されて、ひとかけらもない。ひろ子は牛乳を静かに飲んでいるところだったが、その仕草はごく自然で、照れも衒《てら》いもなかった。牛乳壜の口にそっと触れられている形のよいひろ子の下唇に見惚《みと》れながら、稔はああ、あの牛乳壜になれたらなぁと思った。稔がひろ子につけた点数はむろん百点だった。

ふと気がつくと稔の隣りに俊介がいた。俊介の視線はひろ子に釘付けになっているようである。稔の脳裏にいつか俊介がひろ子のことを根掘り葉掘りしつっこく聞き出そうとしていたことが不意に甦った。稔はひょっとしたら俊介はあのときからひろ子を好きだったのではないか、と思った。

「そうすっと合同公演の利点は、あんたがた一高としては女形というこれまでのやり方、つまり、男が女に扮するという不自然なやり方を解消できる、それだけのことすね？」

と、稔が主将ではないかと睨んだ眼鏡の女の子が言った。稔たちの学校の演劇部の主将が、

「それだけのことだと今おっしゃったようだけんとも、あんだ方二女高のほうも、女が男役をやるつう宝塚みたいな、不自然なやり方をやらないでも済むぺっしゃ」

と弱々しい声で答えた。この主将は女形役専門の二年生で、なよなよと科《しな》をつくって喋るのでちっとも迫力がなかった。女形の反論を眼鏡はふんと鼻の先で嗤いとばし、

「宝塚が不自然だなんてなんつうこと言うんだっぺ。男の役者だけで演じられる歌舞伎は素ン晴しの古典芸術っしゃ、それと同じように、女だけの宝塚も立派な芸術なのっしゃ」

宝塚が立派な「芸術」かどうか稔にはよくはわからなかった。だが眼鏡たち二女高側がこの合同公演の計画にあまり乗り気ではないということだけは稔にもよくわかった。おそらく話を持ちかけたのは一高のほうだろう、二女高はその申し込みをあまり歓迎していないようだ。

「宝塚の話はとにかくとしてっしゃ、おらだちは高校の演劇部、プロの劇団とはちがうのっしゃ。男子高校では女形が女のかわりをする、女子高校では男役が男の代りをつとめる、それでええんでねぇのすか。ほかになにか特別な利点でもあるんなら話はべつだけっとも、それだけが目的なら、合同公演なんつう冒険をしてもはじまらねぇべっちゃ」

女形はじめ一高演劇部の部員たちは下を向いてもじもじしているだけだった。眼鏡はその様子を底意地の悪そうな眼付きでじろりと見て、

「それになんだっぺ、一高《こちら》は有名大学への合格率では東北一でも、演劇のほうはまるで振るわねぇものね」

と毒のあることを言った。ほかの女生徒たちが申し合せたように首を振って無言の相槌を打った。もっともひろ子だけは眼尻のあたりに微かな笑みを浮べて机の上を見ている。

「そこさ行ぐと二女高《おらほう》の演劇部は二年連続して県内高校演劇コンクールに優勝してんだ

もんね。こんなこといっちゃなんだけっと、この合同公演は釣合わねぇ縁ではねぇのすか」

女形はじめ一高の演劇部の部員たちはますますうなだれた。これでは男と女があべこべだ。稔はじれったくなった。眼鏡の高慢鼻をへし折るだけの勇気のある「男の子」はいないのか。

「このお話にはなんの意義も利点もなかっぺっちゃ。やっぱりお断りした方がええんでねぇべか」

こうとどめを刺して眼鏡が椅子から腰を浮かしかけたとき、食堂入口のドアが勢いよく開《あ》いた。

「意義がなくては困るのなら、見つければいい、見つからないときは作ればいいじゃないか」

うちの学校にもいいことを言うやつがいるなぁ、と稔は嬉しくなって、正義の味方の声がした入口のあたりへ目をやると、それは俊介だった。あれいつの間に、と訝りながら、稔は、入口の柱に凭《もた》れながら、昂然と腕を組んでいる俊介を視ていた。王子様の突然の御入来に魂を奪われたシンデレラの意地悪な義姉といった感じで俊介をぽかんとして見ていた眼鏡が、やっと我に返って再び椅子に腰を下ろし、うわ擦《ず》った声で訊いた。

「あ、あんだは誰なのっしゃ？」

「もちろん、一高《ここ》の生徒さ。三年六組渡部俊介」

俊介は頭をさげるかわりに、帽子の庇《ひさし》を右のひとさし指で上へ軽く突きあげた。

「日比谷高校から四月に転校してきたんだけれどね」

すこし険はあるが、俊介は凛《り》々しい顔立ちをしている。その凛々しさだけでも充分な武器なのに『日比谷』という金看板がそれに一枚加わったものだから、眼鏡たちは圧倒されて声も出せない。

「県立高校はすべからく男女別学でなくてはならないという古くさい方針をかたくなに固守する県の教育委員会、彼らに対するぼくらのレジスタンス、これが合同公演の最大の意義さ」

俊介はレジスタンスの「タン」を鼻へ抜くように発音した。ジェラール・フィリップみたい、つまりフランス人そっくりだった。眼鏡たちはただうっとりして、俊介に潤んだような目差しを送っている。うんそうか、まず最初は高飛車に出て、相手がそれで怯《ひる》んだところへフランス語を持ち出して脅しをかける、これが俊介のやり方なのだな、と稔は思った。

「いまの意見を学校側にそのままぶっつけるのはどんなものかしら？」

はじめてひろ子が口を開いた。彼女には、九歳ごろまで東京で育ち、空襲で焼け出され、伝手《つて》を頼ってこの町へ逃れてきたらしいという噂がある。稔たちは一高軒でひろ子が話すのを耳にするたびに、この噂を信じた。東京育ちでもなければ、彼女のようなきれいな東京弁は使えないはずだからである。

「いまの意見を表に立てたのでは、一高は知りませんけど、二女高の先生方は許可をしてはくれませんわ」

板の床を高足駄でがらごろと鳴らしながら、俊介はひろ子の傍に近寄った。

「たしかにその通りなんだ。そこで、二女高の先生方が聞いたら喜んで賛成してくれそうな、合同公演の意義、つまりうたい文句を思いついたんだ」

「ど、どういううたい文句っしゃ？」

ひろ子の先手をとって眼鏡が訊いた。

「ねぇ、教《お》せさい」

「たとえば英語劇なんかどうだろう。東京の高校じゃ英語劇がはやっているんだぜ」

稔たちの町では、英語劇は大学生の専売だった。なのに東京では高校生がそれをするという。ということはそれだけ東京の高校は進んでいるんだな、と稔は素直に感心した。

「二女高演劇部と一高演劇部は芝居ごっこをするんじゃない。それは第二、第三のことであって、第一の、最大の目標はあくまでも英語の学習である。これがうたい文句だけど、どうだろう？」

俊介の大きな黒眸《くろめ》でみつめられた眼鏡は、思わず溜息をついて頷いた。

「ええなぁ」

「でも、どんなのをやるのかしら」

とひろ子が呟いた。

「シェイクスピア」

俊介がすこし気取った声を出した。

「シェイクスピアが無難だぜ」

躰も斜に構え、左手を前に差し出し、右手を腰につけている。その俊介のポーズからヒントを得たのだろう、眼鏡が叫んだ。

「ハムレット！」

「うん、いい。ハムレットはいい」

眼鏡はにっこりした。

「いいことはいいんだけど、ハムレットの母親が問題だな」

眼鏡の顔がたちまち曇った。

「なにしろ、ハムレットの母親は、夫の死後、たったひと月で他の男と再婚してしまうんだから。きっとひっかかる堅物《かたぶつ》の先生が出てくると思うんだ」

それまであっけにとられて俊介たちのやりとりをただ眺めているだけだった一高の女

形が嫋々《じょうじょう》とした声で言った。

「ロミオとジュリエット……」

俊介は一瞬考え込んでいたが、やがて、それだ！　というように女形を指さした。

「それで行こうよ。せっかくくちばしを突っ込んだんだ、ぼくがロミオと演出をやってあげるよ」

眼鏡たちが手を叩いた。一高の女形はむくれた。

「そげなこといったってっしゃ、渡部さんは演劇部さ入っていねぇでねぇすか？」

「わかっている」

と俊介は一高の女形に言った。

「明日中に部室へ入部願いを持って行くよ」

女形は仕様《しよう》ことなしに頷き、眼鏡たちはますますぼうっとし、そしてひろ子はあいかわらずテーブルの上に謎のような微笑を注いでいた。彼女はまるで稔たちが二年のときに使った西洋史の教科書の挿絵から抜け出してきたようだった。ルネッサンスという章のはじまりの頁にダビンチの「モナリザ」が載っていたのだが、ひろ子のたたずまいがその絵とそっくりなのである。ひろ子に見とれている稔の頭のどこかに、FENでよく聞くナット・キング・コールの「モナリザ」の冒頭部分ががんがん鳴り響きはじめた。

（とにかくはっきりしていることは……）

と、その夜、稔は階段部屋の戸棚床に寝そべって、眼と鼻の先、三十センチばかり離れた天井板を睨みながら考えた。

（……はっきりしていることは俊介がひろ子を好きだということだっぺ）

俊介がロミオをやると言いだしたのは、二女高演劇部員のご面相から考えても、ジュリエット役は若山ひろ子しかいない、きっと若山ジュリエットが実現するにちがいないと素早く計算したからだろう。まだ『ロミオとジュリエット』をきちんと読んだことはないので詳しいことはわからないが、この芝居《こしらえごと》ではロミオとジュリエットが恋仲だというぐらいは稔も知っていた。俊介はとっさにそのことを呑み込んで、まず芝居の上でひろ子と恋仲になろうと決めたのだ。

演出というものがどんなものか、稔は芝居にあまり興味がないからどんな仕事をするのかはわからないが、映画でいえば監督だろう、つまり一番偉い。「ここでロミオとジュリエットは万難を排して接吻すべきだ」と演出家が決意すれば、ロミオとジュリエットはなにがなんでも接吻をしなくてはならぬのだ。

（俊介のやつ、なんつううまいことを思いついたもんだっぺな）

稔は感心し、何度も生唾を吞み込んだ。

演出家がロミオを兼ねているのは、ひとりで将棋を指すようなものだ、王手飛車とり、飛車と角の両取り、なんだって好きなことが出来るではないか。さすがは日比谷高校、考えてるなぁ。これでひろ子は俊介のものとまず決まった。

（ひろ子のほかにきれいな女の子はいたっぺか）

いさぎよくひろ子のことはすべて頭の上から駆逐し、かわりに稔はその日の午後、食堂に坐っていた他の四人の女生徒の顔を思い浮べた。四人の中ではやはりあの眼鏡がいちばん人間並みの顔をしていたのではないか。つきあって行くうちに意外なよさが出てくるかもしれない。眼鏡を外したらあれでなかなかの顔立ちなのかもしれぬ。

（……眼鏡だっていいのす。おれは別に高望みはしねぇのっしゃ）

こう呟いた途端、稔は中世ヨーロッパの、どこかの都市の城壁の蔭で、例の粉袋のような衣裳を着て、眼鏡と向い合っている自分を天井板の上に視た。なぜか時刻は夜明けどき、二人のまわりには濃い朝靄《あさもや》が立ちこめていた。稔が唇を突き出して眼鏡に迫ると、眼鏡の掛けている眼鏡のレンズに自分の姿が写っている。それを見て稔は思わずぎょっとするが、そんなことは大事の前の小事と、構わずに眼鏡に迫る。眼鏡も当然覚悟のうえ、眼鏡を外し稔の唇を待つ。だが稔は眼鏡の眼を見て愕然とする。彼女の眼はまるで節穴ではないか！　眼を擦ってよく見ると、たしかにそれは天井板の節穴だった。

節穴を見詰めて長い間なにか考えていた稔は、やがてなにを思い付いたのかにやりと笑い、間もなく屈託のない寝息を立てはじめた。

あくる朝、教室に入っていった稔は、俊介に言った。

「演劇部への入部願い、もう出しちまったすか」

「まだだ」

と俊介は答えた。

「昼休みに行ってみるつもりさ」

「なら頼みがあるんだけっとも」

と稔はポケットから紙切れを出して、俊介の机の上に置いた。

「そのう、これは……」

「入部願いだろう、演劇部への……」

稔の出した紙切れを見もせずに俊介が言った。

「わかってるよ、一緒に連れてってやるよ」

「なんで見もせずに演劇部への入部願いだってわかるのっしゃ」

俊介は机の中から、なにか書いてある紙を三枚ばかり出して、稔の鼻の先で振ってみせた。

「この十分間にぼくは入部願いを三枚も預かっちゃったのさ。きみが四枚目の入部願いじゃないかってことぐらい見当がつくよ。『君が入部願いを持って行くときにおれを一緒に連れてってくれ』言う台詞《せりふ》まで同じなんだからなぁ」

「あとの三枚は誰の入部願いすか?」

と稔が訊いたとき、教室の壁に寄りかかって稔と俊介の様子を窺っていたらしいデコとユッへとジャナリの三人が、でへへへと妙な声で笑った。

ちぇっ、と稔は舌打ちをした。三人というのはもちろんデコたちだ。デコたちも自分と同じことを考えたのにちがいない。なんてやりにくい連中なんだ……。


七月のなかばに、一高の食堂で第一回の稽古があった。まず集まった全員に英語の台本が配られた。これは原作を約半分の長さに縮めたダイジェスト版で、処は花のヴェローナのいずれ劣らぬ名門の両家、モンタギュー家とキャプレット家の従僕二人ずつが、いきなり路上で果し合いをして死んでしまうという血腥《ちなまぐさ》さでいきなり始まり以下原作の名場面が多少順序を入れ替えて並べてあった。むろん中世英語はすべて現代英語に改めてある。

このダイジェスト版を作ったのは、二女高の英語の女教師だ。本格的な英語劇に高校生が取り組むのは東北ではこれがはじめて、だから責任も重大よ、とその女教師は四十歳を過ぎたおばさんなのに、三日も徹夜で頑張ったそうだ。俊介がこじつけで作りあげた合同公演のうたい文句が見事に効を奏したわけである。

台本が配られた後、配役が発表された。ロミオが渡部俊介、ジュリエットが若山ひろ子、モンタギュー夫人が眼鏡、ジュリエットの乳母が一高の女形と、このあたりはだれにも異存のないところだ。もっとも、よく考えれば乳母が男子生徒というのは変は変である。これではなんのための男子校と女子校の合同公演かわからなくなる。あとで聞いたところでは「ぼくは女形以外は自信がありませぬ」と女形が俊介や眼鏡に泣きついたので、このような配役になったらしいのだ。

稔たち四人の名前が読み上げられたのは一番最後である。モンタギュー家の従僕AとBが稔とデコ、キャプレット家の従僕CとDがユッへとジャナリだった。

「これじゃあんまりでねぇすか」

ユッへが俊介と眼鏡に異議を申し立てた。

「AとかBとかだけつうのはあんまりだっぺ。他の役にはみんなちゃんとした名前があんのに、おらだ四人だけがＡＢＣＤつうことはねぇんでねぇの」

「これじゃまるで幾何学だっぺ」

と稔もユッへに助太刀をした。

「それにおらだ四人の台詞は皆同じで、それもたったの一行、Look upon your death!

と叫び、斬り合って死んじまう……。これじゃ死んでも死に切れねぇす」

稔たちは死ぬのは構わないのだ。ただ、さしたることも別になく、ただ空しくごろんと死んでしまうことが耐えられないのである。せめて恋人の、そうでなければ妻の、それも無理なら老母の、それさえならぬなら通りすがりの女乞食でもよい、とにかく二女高生の腕の中で死んで行きたかった。

もうひとつ言うと、二女高生がどんな形ででもよい、からんできて欲しかった。そうすれば「こう仆《たお》れるから、あんたは胸で受けとめてけさい」とか、「あんたの胸に顔を埋めたまま息絶える、ってのはどうっしゃ」とか、「無駄な動きは一切やめて、互いに手をとり握り合い、また握り返しながら死んで行くことにすっぺし」とか、「こっちが息を引き取ったら、あんたは悲しみのあまり激しい接吻を夕立ちみたいに降らせるのはどうだっぺ。劇全体の悲劇性がそれによってぐんと高まると思うのっしゃ。シェイクスピアもきっと墓の下で喜んでくれると思うけっとも……」とかいうように演技の相談もできるのだ。相談するうちに互いに打ちとけてねんごろとなり、やがていつか、芝居などではなく現実に、ほんものの接吻の雨を降らせ合う可能性も豊かに展《ひら》けるだろう。それがただ冷たい床の上に、丸太棒か鮪《まぐろ》みたいに、ただごろんと死ぬのでは、展けるのは豊かな不可能だけではないか。

「……とにかく犬死みたいなのは嫌なのっしゃ」

「考えてほしいもんだねっちゃ」

と稔たちがわいわい言っていると、食堂のドアが静かに開《あ》いて、こーんと甲高《かんだか》な咳ばらいがひとつ、入ってきたのは黒いツーピースに黒靴、黒縁の眼鏡の、黒いものずくめのおばさん。白いのはブラウスと前歯、それに髪の毛が十四、五本。その白いものの混った髪の毛を、強《きつ》くひっつめ後でひとまとめに束ねている。強《きつ》すぎて眼が吊り上り、そのために狐に似ている。

「いま一高生のかたがなんかおっしゃってたのをドアの外で聞いてしまいました。そこでひとつ質問があります」

狐のようにおばさんは稔をじっと見ている。仕方がないので稔は立った。

「台詞が一行というのがお気に召さないようですね。ところでそのたった一行の台詞である Look upon your death! これはどんな意味ですか？」

狐おばさんの発音はじつに流暢《りゅうちょう》で稔には「ルカポンアデス」と聞えた。新薬の名前のようだった。

「さあ、答えてください」

「はい。『あなたの死をごらんなさい』つう意味……、ですか？」

答えるつもりが質問してしまった。

「こんな簡単な命令文がわかりませんの」

と狐おばさんはしばらく冷やかに稔を見ていたが、いきなり、

「くたばっちまえ！　ぶっ殺してやる！　覚悟しやがれ」

と怒鳴った。

あまりの語気の激しさに稔はすっかり愕いて、思わず手にしていた台本を床にとり落してしまったくらいだ。

おばさんはまた冷やかな口調に戻り、

「……というのが、この Look upon your death! の意味ですよ」

とつけ加えた。へんに人を脅かすおばさんである。

「わたくしは二女高で英語を教えている斎藤です。今度の配役にはわたくしの意見がだいぶ入っております」

おばさんは稔たち四人をじろりと見た。

「一高《こちら》の先生方からみなさんの成績も伺いました。特に英語の点数はくわしく調べました。その結果、あなた方四人には、台詞が一行で登場してすぐに死んでしまう従僕ABCDがもっともふさわしいとわたくしが責任をもって判断したのです。わかりましたか」

稔たちは北海道で窃盗を働き、何の因果か長崎あたりで捕まる破目になった小泥棒のような情けなさそうな表情をして頷いた。まったく英語の点数の高低が役の軽重を左右

するとはやりにくい世の中ではないか。

「あなた方四人は台詞が一行だけだからといって安心をしてはいけません。ほかの役の台詞も覚えなさい。とりわけロミオやジュリエットの台詞を暗記なさい。英語の勉強になるだけではありません、人生を学ぶことができます。わかりましたね」

　頷くかわりに稔は心の中で「ルカポンアデス！」と叫んだ。自分たちは英語や人生の探求に来たんじゃないんだ、女の子の探求に来ただけなんだぞ、ばかめ！

「みなさん、わたくしは『ロミオとジュリエット』を演目《レパートリィ》に取り上げたみなさんの良識と判断に敬意を表します。シェイクスピア作品の中でこれは最も清純な一篇なのですから、あなたがたはあなたがたにふさわしいものを選んだといえましょう。それにしてもこの作品の中にはなんという美しい言葉がたくさんひしめきあっているのでしょうか。みなさん、この一篇はきらめき輝く言葉の宝石箱なのです。たとえば……」

　狐のおばさんは不意に両手を前に差しのべ、芝居がかって、

「O Romeo, Romeo! Wherefore art thou Romeo?」

　とかなんとか、そのときの稔たちには何のことだかわけのかわらぬ横文字を叫び、

「おお、ロミオ、ロミオ！　なぜあなたはロミオなの？」

　もう一度同じ仕草で、日本語訳をつけた。

「なんという切ない、そして甘い言葉でしょうか。シェイクスピアは真に偉大な詩人で

すわ」

シェイクスピアってあんまり利口じゃなさそうだぞ、と稔は思った。「なぜあなたはロミオなの」と言われても、これには当のロミオにさえ答えようがないじゃないか。ロミオがロミオになったのはみんな両親のせいじゃないか。

夏休みまでの一週間は、狐のおばさんの指導で、全員で英語台本を一日に二回ずつ、それも初めから終りまで、読ませられた。なにしろ暑いし、英語は苦手だし、稔たちは気が狂いそうになった。

しかも、稔たちが期待していた二女高生との心のあたたまる交流などは始まる気配もなかった。狐のおばさんは、稔たちが席につくときも、一高生と二女高生を厳しくわけへだてるのである。しかも帰りは二女高生を引率して校門を出るのだ。

同じ空腹に耐えるにしても眼の前に御馳走があるかないかでずいぶん苦しさがちがうだろう。稔たちのは御馳走が鼻先にぶらぶらしているという第一級の苦しみだった。四人は毎日はぁはぁと切なく息をつきながら、お預けを喰った犬のように地獄の日々を送った。噂によれば狐のおばさんは二女高の風紀部長だとかで、それも「学校始まって以来もっとも有能な」という折紙付きなのだそうだ。

（おれたちはよっぽどついてないんだっぺ）

と稔は「有能な」という形容詞を呪った。そして、この責め苦の発端となった俊介の「英語劇は東京では流行《はや》っているんだよ」という発言も呪った。

不思議なことに俊介だけは涼しい顔をして英語台本の読み方に専心していた。俊介にはなにか勝算があるのかもしれない、それだけを頼みの綱、ただひとつのはかない望みにして、稔たちはこの辛い一週間をどうやらこうやら乗り切った。

夏休みに入って、台本を片手に立ち稽古がはじまった。俊介が一段と活き活きしてきた。演出家の俊介はロミオの俊介に情熱的な演技をさせた。たとえば原作では第一幕五場、稔たちのダイジェスト版では第二景の舞踏会の場で、ロミオは初対面でありながら、いきなりジュリエットをかき抱くのだ。俊介のロミオは、いつか駅のプラットホームで米軍高官の飼犬の尻に飛びついた元少佐の愛犬みたいな、なんだかひどく焦り気味のロミオのように稔たちには思われる。

そんなとき、さすがにひろ子もすこしたじろいで、躰をわずかに後へ引く。すると俊介がいらいらして叫ぶのだ。

「若山くん！　まだ、きみは役になり切ってない！」

稔たちが感心もし、また心から羨ましくも思ったのは、俊介にひとことそういわれると、ひろ子が素直に従うことだった。しかも例によってモナリザのように微笑しながら。

もっとも、こういうときは必ずといってよいほど狐のおばさんの待てしばしが入る。

「渡部くん、やはり初対面のロミオとジュリエットが抱擁《ほうよう》し合うというのは行き過ぎじゃありませんか？　シェイクスピアはこの個所のト書を、take Juliet's hand とはっきりと書いていますよ。つまり『ジュリエットの手を取って』とね」

俊介は堂々と反論を展開する。

「ロミオはジュリエットに運命的なひと目惚れをしたのです。このすこし前でロミオは『あの娘を見失うな、あの手に触れ、このいかつい手に祝福を与えてやるのだ。この胸は既に恋を知っていたはずではないか？　目よ、否と答えるがいい！　まことの美というものを、俺は今の今まで知らずにいたのだ』とじつに激しいことをいっています。この胸は既に恋を知っていたはずではないか……いい台詞ですねぇ」

「そりゃもうシェイクスピアですもの」

「こんな台詞を吐いた男が、手をとるだけで満足できますか」

「でもシェイクスピアがト書にちゃんと……」

「シェイクスピアは作者にすぎませんよ、先生、演出家はぼくなんです。ぼくはスタニスラフスキイ・システムで演出しています。スタ・システムではここですでに二人は抱き合うべきだと思うがなぁ」

ここで狐のおばさんは狐につままれたような顔になる。

「そのスタ……なんとかっていうのはなんのことですか」

「いま一番新しくていま一番流行《はや》っている演技理論ですよ。日比谷の演劇部の顧問をしていた先生から教わったんです」

「日比谷の先生がねぇ……」

狐のおばさんは自信なさそうに床に目を落す。シェイクスピアのト書と日比谷の燦《さん》たる名前の間でうろうろ迷っている様子が、稔たちにもはっきりと見てとれるほどだ。そこで俊介はこう声高なひとりごとを言って狐のおばさんの気持を楽にしてやる。

「シェイクスピアが生きていたら、きっとこの演出を支持してくれると思うんだけど……」

彼女はほっとして言う。

「じゃ、そうしましょうか」

つまり、シェイクスピアと日比谷の両方へ義理が立ったので彼女はほっとするワケなのだ。

……俊介はこうやって有能な風紀部長の見ている前で『ロミオとジュリエット』を、清冽《せいれつ》な青春劇からすこしずつ濃厚な愛欲劇へ変えて行った。

八月に入って稽古が十日ほど休みになった。この地方には旧暦七夕を盛大に飾る慣《なら》わしがあり、それにひっかけた中休みだった。

「……後半の稽古の間に、ぼくとひろ子はロミオとジュリエット以上の間柄になるだろう」

五人で繁華街の七夕を見物に出かけたとき、俊介が稔たちに自信たっぷりにこう宣言した。

「嘘じゃないぜ」

「ひろ子の方が俊介に恋い焦《こが》れているって証拠はなにかあんのすか？」

と稔が訊いた。

「あるさ。ひろ子はぼくの言うことにはすべて大人しく従うだろう？　ぼくが好きだからこそぼくの言うことをきいてくれるんだ」

「おめえが演出家だからでねぇのすか」

とユッヘが言った。どうしてもそんなことは信じたくない、という口吻《くちぶり》だった。

「演出家は関係ないよ。ぼくたちはプロじゃない、たかが高校演劇だ、それほど演出家に力なんかないぜ。手を握られたり抱かれたりするのがほんとうにいやだったら、狐のおばさんの口を通じてでもなにか言ってくるはずだろう？　なのにだまって手を握らせ、抱かれてくる。ということは……わかるだろう？」

俊介は七夕の紙飾りのトンネルの下を、かわるがわる片足で軽く飛び跳ねながら歩いて行く。日本に何十万人の高校生がいるか知らぬが、俊介はおそらくそのなかで最も仕合せな高校生だろうな、と稔はその後を見ながら思った。そして、最も不仕合せな高校生のなかに自分たち四人がいるのだろう……。

「おれはどうしても信じられねぇのっしゃ」

ユッへがしつっこく俊介に喰いさがった。

「たしかにひろ子は俊介の言うごとよく聞く。だけっともそういうときひろ子はいつも薄ら笑いを浮べてるんでねぇすか。あの薄ら笑いは好きな男に見せる笑いじゃねぇように思うのっしゃ」

「薄ら笑いなんて汚い言葉を使うな」

ユッへを視る俊介の眼が怒っていた。

「あれは微笑というんだぜ」

「それでな、俊介……」

こんどはジャナリが訊いた。

「ひろ子の手さ触った感じはどんなだっぺ」

「うん、いつも汗ばんでいるな。だからすっと吸いついてくるような感じ……」

うわーっ、えーなぁ！

稔たちはどたどたと高足駄で地面を踏み鳴らした。七夕の見物人たちが驚いて振返った。

「そんで、ひろ子の抱き心地はどうだっぺ」

デコが赤ん坊を抱く仕草をして問う。

「そうだなぁ、重いような軽いようなへんな感じだ、ぼくも夢中だからよくわかんないよ」

また四人のうわーっとどたどたどた。

「ただ、いい匂いがする。牛乳みたいな匂いだ」

また四人のうわーっ、牛乳という囃《はや》し声。

デコが七夕飾りの竿にぶら下って、おお、ひろ子ちゃん、ひろ子ちゃん、なんであんたはひろ子ちゃん、と叫んだ。竿が倒れ、デコも稔たちも落ちてきた紙飾りの中に埋まり転んでしまった。商店の中から「一高生だか二高生だか知らんけっとも、おだつのはいい加減にしろ！」と怒鳴る声がした。

首をすくめながら起きあがり俊介はと見ると、彼だけは七夕の竿の下敷きになるのは免れてゆっくりと先へ歩いて行く。

七彩の色紙のトンネルが、アメリカ映画のショー場面で主役が登場するとちかちかと光る電飾電球のように、俊介の後姿を飾り立て、さやさやと風に鳴る紙の音は、これもまた主役の登場を引き立てるファンファーレのようだった。

稔はユッへたちと竿を元のように立てながら、あいつはやはり生れつきツイているんだろうなと思った。女子高生はあいつに寄って行き、災難はあいつを避けて通る。それにひきかえ自分たちはといえば、災難に言い寄られ、女子高生には避けて通られる、話にもなにもなりはしないのだ。

八月中旬に稽古がまた始まったが、愕《おどろ》いて腰を抜かすようなことが、五人を、とくに俊介を待っていた。いつもは高い所から眺めおろすようにしてなにか粗《あら》はないかしらという風に昂然と食堂へ入ってくる狐のおばさんが、面目次第もございませんといった感じで小さくなって現われ、

「若山ひろ子が退学いたしました」

と言ったのだ。眼鏡たちがくすりと笑ったのは、前もってそのことを知っていたからだろう。

「これもわたくしの監督のいたらぬせいで……」

狐のおばさんはハンカチでしきりに汗を拭った。化粧をしないのが彼女の主義で、こういうとき、汗をいくら拭っても白粉の剝げる心配がない。だから彼女はごしごしと顔をハンカチで擦《こす》った。

一高生たちはあまり突然なので声も出ないでいる。この秋から一高軒は経営不振にな

るだろうな、と考えながら稔は俊介の様子を盗み見た。俊介はすっかり蒼褪《あおざ》めていた。

「若山ひろ子は林長三郎一座に入ってしまったのです」

七夕を当て込んで、三日ほど、町の大映封切館へ、戦前からの大スター林長三郎が『一本刀土俵入』を持って来ていたのを、稔も知っていた。しかし、あんな大スターの劇団へ女子高生がそう簡単に入座を許されるものだろうか。それともなにか縁故《コネ》でもあったのか。

「彼女は三日間、朝から夜まで楽屋口へ坐っていたそうですよ。どうしても女優になりたい、一座に入れてもらうまでは動かない、と言ってね」

狐のおばさんは稔の疑問を察したわけでもないだろうが、間合いよくそう言った。

「このことは彼女から直接に聞いたことですから確かです。じつは彼女は退学届を持ってわたくしに逢いに来ましてねぇ」

「若山くんは……なにかぼくに、いや、ぼくたちに言っていきましたか?」

すこし吃《ども》りながら俊介が訊いた。稔たちが横板に餅なら、俊介は立板に水だ、その彼が吃っているのはよほど動揺しているのだろう。

「別になにも」

「手紙とかそういうものは?」

「ありません」

大きな物音を立てて俊介が机に伏せた。

稔が二十数回観た『虹を摑む男』でも、また『天国と地獄』や『牛乳屋』でも、ダニケイ映画の結末はきっと決っていた。ダニケイが悪漢どもをやっつけ、恋人ヴァージニア・メイヨと接吻するところへエンド・マークが出るのがきまりだった。だが、稔は打ち萎《しお》れている俊介を眺めているうちに、ダニケイが悪漢どもにさんざんいたぶられ、ヴァージニア・メイヨを悪漢のボスに奪われるというのが結末のダニケイ映画を観たような気分になり、何回も首を振った。

（そんなことはあっちゃならないことなのっしゃ）

それから、稔はひろ子のあの謎のような微笑はなんだったんだろうと考えた。たぶん稔たちと一緒にいるときでも、彼女の心は休まずにどこか遠くの未来を視ていたのだろう。

（……つまりっしゃ、俊介もおらだちも、まともに相手にされていなかったんではねぇのすか）

そんなことをぼんやり考えていた稔に、狐のおばさんの俊介を励ます声が聞えてきた。

「若山ひろ子がいなくなったために、あなたの演出プランがかなりの痛手を受けただろうということは、わたくしにもよくわかります。でも俊介さん、元気をお出しなさい」

元気なんか出るものか。稔は心の中で叫んだ。痛手を蒙ったのは俊介の演出プランじゃなくて俊介自身なんだからな。

「それに俊介さん、他にもジュリエットをやれる人はたくさんいますよ。たとえば、わたくしの考えでは……」

狐のおばさんは眼鏡のほうを見た。

「彼女のジュリエットなんかどうかしら。彼女は成績も優秀です。きっと理知的なジュリエットになりますよ」

俊介はきょとんとして眼鏡を見ていた。理知的なジュリエットなんて、炊きたての冷飯、痩せぎすの肥《ふと》っちょ、見上げるような小男、前途洋々の老人、抜群の不成績、一匹狼の大群、何千何万という四十七士、傾国の醜女《しこめ》、不親切な人情家みたいなものだ。だれだってきょとんとするだろうと、稔は俊介に同情した。

どういうわけかこのとき、一高の女形が恥かしそうに手で口を覆いながら、

「おれのジュリエットは駄目だっぺか？」

と名乗り出たので、あちこちから笑い声があがった。不精髭の生えたジュリエットよりは理知的なほうがまだましだと思ったのだろう、俊介は眼鏡のほうに顔を向けて渋々と頷いた。

……こうして稽古は再開された。当然のことながら俊介の演出はがらりと変った。ひろ子がジュリエットだったころは、よくいえば情熱的な、悪くいえばさかりのついた犬

のようなロミオを演じていた俊介が、ひどく冷淡で無情になった。眼鏡が寄ってくれば逃げる、迫れば躱《かわ》す、手を差し伸べれば振り払う、抱きついてくれば突き飛ばす。演技中はメガネを外している眼鏡がそのたびにうろうろした。前がよく見えないのだ。

そんな様子を眺めるたびに、稔はいつも『ロミオとジュリエット』という題を、たとえば『倦怠期のロミオと近目《ちかめ》のジュリエット』というふうに改めたほうがよくはないか、と思った。

狐のおばさんは俊介のいやいやながらのロミオを見るたびに、かつて俊介がひろ子に対してしたと同じように、こう叫んだ。

「俊介くん、どうしたのですか。あなたはまるで役になり切っていないじゃありませんか！」

九月中旬の或る土曜の午後、稔たちの学校の講堂は、ポスターの「東北では初めての、高校生による本格的な英語劇」という惹句《じやつく》を真《ま》に受けて詰めかけてきた千数百の見物客でいっぱいになった。

開演の前に挨拶に立った校長チョロ松の言葉をかりれば、「おそらく開校以来はじめてといってよいほどの多数のお客様をお迎え出来たことはまことに光栄」な入り具合だった。

チョロ松に続いて二女高の校長が立って「一高と二女高の生徒有志諸君の本日の快挙は長く両校の校史を飾ることになるだろう。なぜならば生徒有志諸君は、円満なる夫婦もかくやと思わるる完璧な協同精神を発揮し、英語と演劇という二大難事を見事に征服せられたからである」というような意味のことを長ったらしく語った。ぴらぴらの人絹の衣裳を着込み、ボール紙の短剣を腰にさげ、ヴェローナ市の名門モンタギュー家の従僕Aの扮装をした稔は、二女高の校長の「円満なる夫婦もかくやと思わるる完璧な協同精神を発揮し」というくだりを緞帳《どんちょう》の蔭で聞き、いひひひひといやらしく笑い、傍に立っていたキャプレット家の二人の従僕CDに、

「なんて呑気なこと喋ってんだっぺね、二女高の校長は」

と囁いた。

「おらだちが二女高の女学生と、円満なる夫婦もかくやと思わるる完璧な協同精神を発揮したらばどうなるか、校長には判らねぇんだべか。来春《らいはる》の卒業式には、妊娠七カ月の大きな腹をした卒業生に卒業証書くれてやる破目になるべっしゃ」

従僕CDことユッへとジャナリは、これまたいやらしくいひひひと笑ったが、その笑い声は妙に掠《かす》れてしわがれて、力がなかった。従僕CDはどうやらもうあがっているらしい。

「なにっしゃ、二人ともだらしのねぇ」

と言ったものの稔自身もさっきから欠伸《あくび》ばかり出るし、自分の声もなんだかうわ擦《ず》って聞えるような気がしたのでおれもあがってんのかな、と背中に冷水を浴びたような気に一瞬なった。

「おう！　多香子ねえさんが来てっぺ！」

上手《かみて》の袖で、緞帳の隙間から場内の様子を窺《うかが》っていたモンタギュー家の従僕Bが、稔たちを手招きしていた。従僕Bとはデコのことである。

稔たちは上手袖に移動し、緞帳の隙間に眼を当てた。

場内はぎっしり人で埋まっている。蟻《あり》が這《は》い出る余地もない、とよく言うが、蟻どころではない、水蚤子《みじんこ》でさえも動き廻るのに窮屈を覚えそうな混み方だった。

見物客のほとんどは床に直接《じか》に腰をおろしている。その最前列の上手の端、つまり上手の袖のすぐ前に元少佐が坐っていた。右肘を外に突き出し山羊鬚をしっかと摑んでいる。左手はきちんと膝の上に置かれているが、手は固く拳《こぶし》に握られていた。なんだか知らぬが、なにかに腹を立てているような気配である。

その元少佐の数列後に、しゃっきりと浴衣を着こなした多香子ねえさんがいた。右手の白い団扇《うちわ》をゆっくりと動かし顔に風を送っている。ちらちらと揺れる彼女の白い団扇が、稔には巨大な南瓜《かぼちゃ》畑に舞う一羽の白い蝶のように見えた。南瓜畑というのは、他の見物客の顔を南瓜に見立てているからである。多香子ねえさんの横、つまり暗幕を張った窓ぎわに、椅子が数十脚ばかり、二列に並べてあり、チョロ松、抜け松教頭、軽石、そして、狐のおばさんなどの顔が見える。椅子席の末席には裏門校長が神妙にかしこまっていた。

「あらら、眼の前に坐ってんのは進駐軍のヒューズとかいう少将でねぇの？」

従僕Cことユッヘが頓狂《とんきょう》な声をあげた。たしかに椅子席前列の最も舞台に近いところに、いつか駅頭で已が愛犬の貞操を元少佐の柴犬に奪われた第二十四師団のヒューズ少将がいた。その隣りに大女の夫人。ヒューズ少将は多香子にちらちらと好色そうな視線を送っていたが、それを大女に見咎められ、苦笑しながら肩をすくめた。その少将の脇腹に大女がずぼ！　と肘鉄砲を打ちこむ。少将の顔が歪んだ。

二女高の校長の長い挨拶が終って、見物客がお義理の拍手を送った。かわって緞帳の前の演壇に登ったのは、たったいま夫人から肘鉄砲を打ち込まれた左脇腹のあたりを痛そうに手で押えたヒューズ少将である。通訳は狐だ。

「へえ、ヒューズってやつ、なんて英語が上手なんだっぺね」

少将が喋り出すとすぐデコが感心したような、同時に怯えたような口調で稔に囁いた。

「ばかだなぁ。アメリカ人が英語が下手でどうすんのっしゃ」

答えてから稔も急に不安になった。デコがなにを惧《おそ》れているのか、ぴんときたからだ。

いま聞えているのが本当の英語だとすると、自分たちがこれから喋ろうとしているのはいったい何語だろう。お世辞にも英語だなどと言えない代物ではないのか。稔の膝が急にこまかく慄《ふる》え出した。ああ、芝居になんて出るんじゃなかった。思えば七月の半ばから、映画を観る時間を削り、受験勉強にも手をつけず、あの灼《や》けたトタン屋根の下の食堂で、暑さにうだり、狐にずけずけ嫌味を言われ、わずかの一行の横文字の台詞のために百時間以上も稽古を重ねてきたこのふた月の苦労のむくいが、この不安なのか。

たしかに共演の女学生とねんごろになれるかもしれないという最初の動機は不純だったけれども、それは全然ねんごろになれなかったという辛い罰で充分に埋め合せがついているはずだ。なのに幕開き前のこのやりきれない怖しさはいったいなんの罰だというのだろう。

……覚悟の決らない処刑五分前の死刑囚のように稔がデコと抱き合って慄えているとき、突然、近くに雷が落ちた。それは開幕の合図の銅鑼《どら》の音だったが稔たちの耳には落雷のように聞えたのである。稔はデコと一緒に膝をがくがくさせながら上手袖に引っ込み、「幕が上がりきるのを切っかけに上手から自分とデコのモンタギュー家の従僕、下手からユッへとジャナリのキャプレット家の従僕が同時に登場、舞台中央ですれちがいながらつけまわしになってひと廻りし、そこであの『Look upon your death!』になる」という段取りを、頭の中で大急ぎで予習した。

予習が終ったとき、舞台の上にさっと青い光が溢れた。幕が上がって照明が入ったのだ。稔はだれかに押されてヴェローナの夜の街へふらふらと足を踏み出した。

そのあとの十秒ほどについては、稔はほとんど何も憶えていない。三年六組の悪友ども「稔ッ、真っ直ぐ歩け！」「デコ、おデコの胼胝《たこ》をこっちさ見せさい！」「ユッへ、にやけちゃだめだっぺ？」「ジャナリ、解剖学の本ば忘れてっぺ！」などと弥次る声がわずかに耳の底に残っているぐらいである。記憶が突然鮮明になるのは、つけまわしになって舞台中央でひとまわりしユッヘやジャナリと向い合い、腰のボール紙の剣の柄へ手をかけ、稔たちが例の台詞を言おうとしたときからである。

まさにそのとき、客席の最前列で、ぬっと人の立つ気配がし、したと同時に、

「諸君！　諸君は日本人じゃろう！」

という大音声《だいおんじょう》が響き渡ったのだ。

稔は横目で声のしたあたりを見た。舞台からこぼれた照明の灯が仁王立ちになっている怪人物の顔に差した。山羊鬚が青い夜の色に染っていた。

（……元少佐だ）

稔たちはふた月の間、そればかり稽古していたのに、もうあの一行の横文字を忘れてしまっていた。

「日本人の諸君が、なぜ英語の芝居をやらにゃいかんのか！」

稔は脳味噌の襞《ひだ》のひとつひとつを点検した。いったいどこの襞のかげに隠れてしまったのだ、あの横文字は？

「わしは本校の先輩として忠告し、かつ懇願する！　諸君の双肩にわが日本の命運がかかっておる。諸君、日本人たれ！」

このころから客席が騒がしくなってきた。

「しつっこい弥次はやめなさい！」と元少佐をたしなめる声。「弥次ではない。これは憂国の士があえて呈する苦言である」と答える元少佐の声。立往生する稔たちを笑う声。そして自分の手がけた「東北では初めての、高校生による本格的な英語劇」が不吉な方向へ暴走しそうな気配を察しなにか横文字を連呼している狐の声。狐は「ルカポンアデス」と叫び、客席からプロンプターを務めているのだが、すっかり逆上してしまっている従僕どもにはそれがわからない。

ただ稔は狐の金切声から、彼女がはじめて食堂に入ってきたとき「くたばっちまえ！」と怒鳴って自分たちを仰天させたことがあった、と思い当った。たしか自分たちが言わなくてはならぬ英語の台詞は「くたばっちまえ！」という意味だった。だがえい！　ここまで進退きわまった今、英語も日本語もたいしたちがいはあるまい。意味さえきちんと通っていればいいのだ……。

そこで稔はキャプレット家の従僕たちに言った。

「くたばっちまえ！」

「おお、稔くん、よう言うた！」

元少佐の声がまたしても講堂に轟《とどろ》きわたった。

「さすがは一高生、わが後輩じゃ」

……英語劇の冒頭の台詞が日本語で発せられたことは、以後の客席と舞台にすくなからぬ影響をもたらしたようである。客席は拍子抜けし、気抜けした。そしてそのことによって客席には非常に気楽な雰囲気がみなぎり、見物客たちは思い思いに弥次や半畳を楽しみ出した。

これに引きかえ、役者たちは笑われまいとして固くなった。その緊張が積み重なるうちに、それはやがてものものしいような緊迫感に高まって行き、そして役者たちは今度は逆にその緊迫感に気圧《けお》されてとんでもない失敗を仕出かしてしまうのだった。目の悪い眼鏡は、始終、一重に蹴つまずいて転び、あの有名な台詞「おお、ロミオ、ロミオ！」を立木に向って言ったりした。一高の女形はかつらを何度も飛ばした。

ヒューズ少将夫人は途中で憤然と席を立った。どうやら彼女は英語常用民族の至宝であるシェイクスピアの作品をこのように莫迦気《ばかげ》たやり方で上演し、しかもそれが客席で大受けしているのは、すべては仕組まれた冗談、それも英語常用民族に対するたちの悪い冗談だと思ったらしかった。

少将は多香子に未練たっぷりなウィンクをひとつ投げて、夫人の後を追った。彼もまたひょっとしたら、そのとき日本人は油断がならぬ、と思ったりしていたのかもしれない。

幕が下りた後、楽屋がわりの教室で、稔たちが化粧を落していると、半分泣き声の狐がやってきて、ものすごい早口で、「一高は秀才校だという評判はとんでもない見かけ倒しで、じつはこんな程度の悪い高校も珍しい」というようなことを喚《わめ》いていた。

考えてみると、二女高の校長の「……この快挙は長く両校の校史を飾ることになるだろう」という開幕前の挨拶は、ある意味では当っていたな、と稔は狐の喚き声をどこか遠くに聞きながら思った。なにしろ二女高の校長のあの言葉は、二個所だけ訂正すれば今でもちゃんと使えるんだから。「快挙」を「愚挙」に、「飾る」を「汚す」に直せば、つまり「……この愚挙は長く両校の校史を汚すことになるだろう」となる。これほど的を射た評価はない。

稔がこんなことを思いついてくすりと笑ったので、狐は呆れて教室から出て行ってしまった。

間もなく、硝子《ガラス》窓越しに、狐が眼鏡たちを引率して、事務棟から外へ出てくるのが見えた。狐はしばらく稔たちのいる教室をきっと睨《にら》んでいたが、どうしても腹の虫が承知しないのだろう、かたわらの、例の桜の老樹の幹を靴で蹴った。緑の葉が一葉、枝から狐の肩へふうわりと舞った。

六

あくる日の昼近く、稔は学校へ出かけて行った。日曜日なのだが、講堂に飾った舞台装置を片付ける仕事があったのだった。

講堂に入って行くと、俊介もユッヘたちもすでに来ていて、ばらし終って床に並べた板や角材からのんびりと釘を抜いていた。演劇部の連中が、釘を抜き終った板や角材を外に運びだしている。

稔は釘抜きを手伝いながら、ふと周囲を見廻してジャナリに訊いた。

「二女高の連中は来てねぇの？」

稔の声音《こわね》にはいかにもがっかりしたという気持がこもっていた。じつは二女高の生徒が手助けに来ると聞き、それに釣られてのこのこと出てきたのだ。稔は、われながら性懲りもなく、とは思う。だがこれが最後の機会ではないのか。合同公演の後片付けが済めばもう縁が切れてしまうのだ。

「来てるす」

にやりとしながらジャナリが答えた。

「何人、来てんのしゃ」

「……六人っしゃ」

「ほんでやっぱり演劇部の連中すか」

「うにゃうにゃ、生活美化委員の皆様がただとっしゃ」

「へえ、生活美化委員ねぇ。ほんで、その委員の皆さんがたのご面相はどんなもんすか」

ジャナリはうひひひひと笑って、

「生活美化つうぐれぇでこれが大漁っしゃ。八十五点が三人、七十点が二人」

「あとひとりは……？」

「これだけはどうにもなんねぇのっしゃ。まあ、サービスして十点てとこすか」

このとき、講堂の入口あたりに、小さな鈴を軽く振ったように笑い声があがった。思わずその方へ目をやると、入口に派手やかな大輪の花が五つ咲いている。日曜日なので、二女高の生活美化委員たちは制服を脱ぎ、白やピンクのブラウス、赤や黄色のカーディガン、そして青いセーターなどを着ていたのだ。それが稔の眼には瞬時花に映ったのである。生活委員たちは、稔たちの視線を意識し、なんだか知らないがひとしきりくすくすと忍び笑いをしてから、ゆっくりとこっちへ歩きはじめた。それはまるで移動花壇のようだった。

　ジャナリが早口に説明した。

「青いセーターとピンクのブラウスと黄色のカーディガンが八十五点、白ブラウスと赤のカーディガンが七十点。どうっしゃ、妥当なとこだっぺ」

　稔は頷いて、

「大妥当っしゃ。ほんで、どうにもなんねえ十点ってのはどこにいるっぺ」

「連中の後《うしろ》。茶色のセーター着てるもんで、講堂の茶壁に混っちまって目立たねぇけどもっしゃ、たしかにいるっぺ」

　たしかになにかいた。頬がたいへんに大きくて、それはそれで立派で、健康そのものなのだが、顔という枠の中で考えると大きすぎ、なにもかもぶちこわしにしていた。瘤《こぶ》のように頰が顔にぶらさがっているのである。脚の太さと躰の関係も右とよく似ていた。ただ胸の隆起は六人で一番である。ジャナリが彼女につけた十点は、おそらく胸のあの盛上がりを評価した十点だろう。

「……二女高にあげな美人がいたのかねす」

　デコが溜息をついた。

「あげな女子《おなご》と話ができたらなんぼええべねす」

ユッへがうっとりした口調で言い、稔たちも負けずにうっとりと頷いた。そして、急に無口になって風のように五人の前を通り抜けた。その後を縄で束ねた数本の箒《ほうき》を抱えた茶色のセーターが、先行の五人分に相当する足音をひとりで立てて、ついでに埃も立てて行った。

「このままかね」

とユッへが、講堂の舞台の上を箒で掃きはじめた生活美化委員たちを熱病やみのような目付きで眺めながら呟く。

「このまま話も出来ずに別れてしまうんだっぺかね」

「仕方無《すかたね》っぺ。どうせおらだちにはその勇気がねぇんだ」

と稔が慰めた。

それまで黙って釘を抜いていた俊介が、

「すこしは精を出して釘抜きをしろよ」

と稔たちに釘をさした。

「これじゃ夕方までかかっちまうぜ」

「うん。だけっとも俊介、どうもあの連中が気になってっしゃ……」

「そんなら話をしてくればいいじゃないか」

「だからっしゃ、その勇気がねぇんだっぺ」

「手がかかるんだなぁ。よし、みんなぼくの後についてこいよ」

俊介は釘抜きを投げ出し、舞台の方へ歩き出した。

「ど、どこさ行《え》ぐのだ？」

「決ってるじゃないか。口をきくきっかけをつけてやるよ」

生活美化委員たちは、俊介の近づくのを見て、舞台のひとつところにつうっとかたまった。

「警戒しなくてもいいんだ。ただちょっと話に来たんだから」

俊介は後について来た稔たちを顎でしゃくってずばりと言った。

「この連中が君たちと話をしたいんだってさ」

生活美化委員たちは互いに顔を見合わせ、ころころころと笑った。

「後片付けが終ったら青葉城へでも行こうか」

彼女たちはまた笑っている。そこで俊介は映画はどうかだの、宮城野原へ散歩に行こうだの、広瀬川でボートに乗ろうだのと、次々に提案した。そのたびに彼女たちはただ笑うだけだった。どうやら女の子が笑うのは否という意味と同じことらしいぞ、と稔は思った。

「東京の女学生はもっとはっきりしてるんだけどなァ」

と俊介は稔たちの方を向いてぼやき、それから、女の子たちに、

「どこへ行くといったらうんと言ってくれるんだい？」

と訊いた。

「今日はお昼までに帰るって家《え》さ言ってきたのっしゃ」

はじめて青セーターが口をきいた。

「だから今日はだめだべっちゃ」

「そういうことは早く言ってくれよな、時間の無駄だから」

「あら、ごめんなしてくない」

「……今度の土曜の午後あたりはどうだろう」

青セーターが他の女の子たちになにかくちゃくちゃと囁いた。女の子たちは黙って考えている。

「松島の五《ご》大堂《だいどう》で午後三時。待ち呆け喰わせるのはなしだぜ。もしも来なかったら、二女高の校舎にトラック一台分のゴミを撒き散らしてやる。生活美化委員としては後の始末が大変だよ」

女の子たちがはじめて素直な笑い声をあげた。

「じゃ、またそのとき」

「あ、ちょっと……」

青セーターは俊介を呼びとめた。

「昨日、芝居観せてもらったっちゃ」

「ふうん、それで？」

「面白《おもし》ぇがった」

「あれは面白いなんて芝居じゃないんだがなぁ。ほんとうはいい芝居のはずなんだ」

「でも面白ぇがった。凸凹《アボット・コステロ》や極楽《ローレル・ハーディ》の映画よりずっと。そんだよね、みんな？」

青セーターの問いかけに生活美化委員たちは一斉に頷き、また朗らかな笑い声をあげた。


その日一日、稔は暇さえあれば、やっぱり俊介はたいしたもんだ、と呟き、そのたびににやりと笑った。まず俊介はなによりも女の子の扱いに慣れている、それがじつにたいしたものだ。

つぎに、松島の五大堂を待合せ場所にするという思いつきがたいしたものだ。松島は日本三景のひとつ、小学生でも知っている。そして五大堂は瑞巌寺と並ぶ松島の大名所、松島へ行けばだれにもすぐわかる。その上、五大堂が建っている島は百坪もない小島だから、待人が来ればすぐに見つけることができるし、さらによいことには、その小島へ行くにも、またそこから帰るにも狭い透《すか》し橋がひとつだけ、だからすれ違う心配はない。もうひとつすばらしいことは五大堂の建つ島に入るのは一切無料だから待合せに金を費《つか》うこともないのだ。まだある。たとえ何時間待ち呆けを喰う破目になっても五大堂だったら退屈することは決してないのだ。目の前には青い海と青い空がひろがり、その海と空の境目に八百と八つの島がある。その島を一島につき一分ずつ眺めていても、八百八島では十三時間二十八分かかる。十三時間半待っていれば、どんなに時間にだらしのない相手でもたいていはやってくるだろうし、万が一、十三時間半待っても相手が来ないときは五大堂を眺めていればいい。五大堂は国宝だ。これでまた二時間や三時間はもつはずだ。そんなわけだから、世の中の恋人たちは、出来たら五大堂を待合せ場所にすべきだ。そうすれば待合せにつきもののすれ違いの悲劇は一切なくなる。もっともそうなると今、NHKでやっている『君の名は』なんか成り立たなくなってしまうけどさ。

とにかく俊介はたいしたものだ、と稔は改めて感心する。なにしろあいつは此処《ここ》へ来てやっと半年になるかならないかのうちに、松島五大堂の最もすぐれた利用法を考えついたんだから。

あくる日の月曜になると、さすがに稔も俊介礼讃にくたびれたのか、別のことを考えはじめた。

一校時のH・R。稔は軽石の目を盗んで早弁当を使いながら、美少女度八十五点のあの青セーターの女の子に思いを馳せていた。青セーターは、たしか『ロミオとジュリエット』が凸凹や極楽の映画より面白かったと言っていたはずだ。たぶん青セーターは映画が好きなのかもしれない。いや、かなりの映画少女だってこともあり得る。だとしたら映画狂の自分とはぴったりと話が合うだろう。

（こんどの土曜、ぼくと青セーターが二時間も三時間も熱心に話し合うだろう、そしたらきっとみんな羨ましがるぞ）

こう思ったとき、もうすでに稔は、彼の心の中の夢想王国の若きプリンスになっていた。来春、自分は映画好きの恋人青セーターのために日大芸術学部映画科の学生になっているだろう。夏休みに帰省した自分は松島の五大堂へ青セーターを連れ出し、8ミリ映画を作るのだ。題は『青セーターの脱げるまで』。彼女が青セーターを脱いで水着に着替える迄を、まずロングから撮る。ハイ、用意！　スタート！　カシャカシャカシャ、次第に近づいて行って、カシャカシャカシャ、ハイ、胸のふくらみのアップ、カシャカシャ……。

「こら、稔、その恰好はなんだ」

軽石の声がしたので、はっとして我に返ると、稔は弁当箱を8ミリ撮影機のように構えて中腰で立ち、軽石を架空のファインダーから覗きながら、その動きを追っているのだった。

火曜日には、稔は化学の教科書を想像上の撮影機にして『欲望という名の青セーター』という映画を撮った。水曜日には英和辞典をカメラに『青セーター無宿』を監督し、木曜日には枕をカメラに『青セーターのあやまち』を製作し、金曜日には風呂場で洗い桶をカメラに『パリの空の下、青セーターは流れる』をものし、そして土曜日には、それどころではなく、俊介たちと電車に乗りいそいそと松島へ出かけた。

五大堂には二時半に着いた。

五大堂から東を眺めれば、碧波の内海と、翠《みどり》の小島と、赤と緑と白に塗りわけた遊覧船と、その遊覧船の曳《ひ》く白い航跡と、そして初秋の高い青空とが渾然《こんぜん》と織りなす景観がある。なにしろ俳聖芭蕉先生さえ、「松島や」を三回連呼するだけでほかのことが言えず絶句したぐらいの絶景だから、五大堂の東側には見物客の数が多い。

稔たちは、五大堂の裏手、すなわち小島の西側へ回った。そこから見えるのは、遊覧船乗り場と道路と、その向うの旅館や土産品店ぐらいで、東側からの展望が絶景とすれば、こっちはただの風景である。ただし、二女高の生活美化委員たちがやってくれば、稔たちには、その風景がすぐさま絶景に変る。そこからは彼女たちがやってくるはずの、駅の方角がよく見えるのだ。

〽松島のサヨー
　瑞巌寺ほどの寺もないトエー
　拡声器の大漁唄い込みが近づいて来て、やがて二階建ての遊覧船が一隻、船着場に横付けになった。遊覧客が降りて、白い砂利を敷いた広場に散っていった。

　稔たちがぼんやりとその様子を眺めていると、不意に俊介が「あっ！」と声をあげた。

「来たのすか？」

「どこ、どこっしゃ？」

　稔たちが色めきたった。

「女の子たちはまだだけどさ、ちょっと問題になることがあるぜ。というのは、ぼくたちが五人なのに、相手は六人、むこうにひとりはみだすやつが出てくる……」

　はみだすのは、あの美少女度十点の、たん瘤のような頰をした女の子だろう、と稔は思った。

「はみ出したたん瘤をどう扱うか、これは問題だぞ」

　俊介もはみだし少女はたん瘤だろうと決めているようだ。

「だいたい女の子たちと複数で逢うと、五分ぐらいのうちに、なんとなく番《つが》いが出来てくるものなんだ」

　俊介の口調は断定的だ。きっと東京でこんなことばかりして遊んでいたんだろう、と稔は頼もしく思いながら耳を傾ける。

「以心伝心てやつだろうね、自然のうちに組分けが出来るのさ。だが、数が合わないと、これが滑らかに行かないんだ。女の子っていうのは、はみ出しそうな友だちを、そりゃ気にするものだからねぇ」

「来たらすぐに帰ってもらったらどうだっぺ」

ユッヘが乱暴な意見を吐いた。

「それでも帰らないっうなら、海へ蹴とばしてしまうのっしゃ」

眼下十メートルのところに海があり、青い波が岩を叩いては白く砕けているのが見える。そこから船着場前広場の岸壁まで十数メートルしかない。命に別条はないだろう。

「それは騎士道精神に反するよ。人間のやるべきことじゃない」

俊介はユッヘをたしなめた。

「こういう場合、東京ではよくジャンケンをして決めたものさ。負けたやつが、自分の気に入った女の子と、そのはみだしッ子と、二人引き受けるんだ。そうなったやつは災難さ、だって二人きりなら手を握る機会はいくらでもあるけれど、邪魔者がいるとそうは行かないからね。でも、この際、これ以外に手はないと思うよ。どうだい?」

稔たちにもいい案がなかったので東京方式で行くことになった。五人はジャンケンをし、ジャナリが負けた。ジャナリは「ツイてねぇ」と頭を抱え込んだ。

「船着場前のまんじゅう屋へ三人で入んのっしゃ」

稔がジャナリを慰めた。

「たん瘤みたいな女の子つうのはたいてい食いしん坊と相場が決まっているから、夢中でまんじゅうを喰うすべ。その隙に自分の好きな子の手ば引いて逃げ出したらよかっぺ」

「それよりもっしゃ、自分の好きな子といちゃいちゃして見せつけるのす」

デコが別の方策を授けた。

「うんと見せつけてやんのす。そしたら居辛くなって逃げ出すっぺ」

「三人でボートさ乗れ」

ユッへがまた別の策を捻《ひね》り出した。

「そんで、たん瘤を海の中さ蹴っ込むのす」

ユッへはなにかというとすぐたん瘤を海に落すことばかり考えている。こんなことを言いながらジャナリを慰めていると、陸の方で、

「あら、俊介さん！　いま、そっちさ行《え》ぐから、ちょっと待っててけさいね！」

という声がした。玉を転がすような、とはとても言えないが、とにかくまぎれもない女の子の声だった。

「……来たぞ！」

声のした方を視ると、海をへだてた十数メートルさきの広場で、たん瘤が床柱のような脚で立ち、丸太ン棒のような手をこっちへ振っていた。稔たちはたん瘤の周辺へ眼を転じて、他の女の子たちの姿を探した。しかし眼に入るのは秋の午後の陽光を白く反射する硝子屑のような砂利だけだった。他の女の子たちはいったいどうしたのだろう。稔はいやな予感がして、眼が眩《くら》みそうになった。

「……ほかの子たちはどうしたんだ?」

俊介が陸に向って大声をあげたが、その声は泣いているようだった。俊介の場合は、女の子が来ないのは残念だなぁ、ではすまないところがある。生活美化委員に声をかけたときからいまのいままで、女の子に関することならまかせておけ、逢いびきぐらい朝めし前のお茶の子さという、その道の先達《せんだつ》としての矜《ほこ》りに傷がつく。二枚目の看板が一枚ふえて三枚目になってしまうのだ。

「……ほかの子はどこにいるんだ?」

「ほかの人は来られねぐなったのっしゃ」

たん瘤の声のうきうきした調子が、余計、稔たちを惨めにした。

「俊介さん、そこで煎餅買ってきたっぺ。ふたりで喰うべっちゃ」

たん瘤は白い紙袋を振って見せ、透《すか》し橋の方へざっざっざっと駆け出した。

「逃げっぺ!」

ユッヘがうろたえながら言った。

「おら、正直いって女の子に飢えてる。だけっとも、たん瘤だけは嫌だ」

稔たちもユッヘと同意見だった。しかし、逃げ出すのは不可能だった。五大堂の建つ小島への出入口は透し橋だけなのだ。必ず途中でたん瘤にとっつかまってしまうはずである。

「……海へ飛び込むしかねぇか」

ユッヘもすぐに自分たちが袋の鼠だと悟ったと見え、入水《じゅすい》という第二の案を出したが、他人を蹴り込むことは容易に出来ても、自分自身を蹴り込むことは至難の業《わざ》である。

ユッヘは十メートル下の海を見下して溜息をついた。

「だれか一人が、他の四人を救うために、犠牲になって、あのたん瘤とつき合うほかはないよ。ジャナリはさっきジャンケンでたん瘤に当ったんだろう。だから頼むよ、ジャナリ」

俊介がこう提案すると、ジャナリが顔色を変えた。

「さっきの話はもうない話っしゃ。だいたい俊介がつき合うべきだっぺ。責任者は俊介だものっしゃ。おまえが女の子は絶対くるつうから、おらだち安心してついて来たんだぞ」

「それにっしゃ、たん瘤は俊介さ惚れてるようだっぺ。俊介の名前ちゃんと知ってるし、煎餅まで買ってきたみてぇでねすか」

とデコがすこし羨ましそうに言うと、俊介がきっぱりと首を横に振った。

「ぼくは断わる。煎餅つきでデコに譲るよ」

デコは数秒ばかり考え込んでいたが、やがてのろのろと手を横に振った。

「煎餅どころか持参金がついててもいやだっぺ」

「なんだか、おらだち、誰が猫の首さ鈴ば付けに行《え》ぐか相談している鼠みてぇでねすか」

たん瘤がもう透し橋を渡り切ろうとしているのを見て、稔が言った。

「だれが残るか、またジャンケンで決めたらどうだっぺね」

「いや、ジャンケンよりもっとええ方法があんのっしゃ」

とユッへがいきなり稔の股間に手をのばし、ズボンの上からそこにぶら下がっているものをむずと摑んだ。

「な、なにすんべっちゃ！」

「ん。ここを一番大っきく生《お》えさせてるやつがたん瘤の相手をすんのっしゃ。ここは正直者《もん》、決して嘘はつかねっぺ。ああよし、稔のはべつに生《お》えでねぇな」

なるほど、と稔たちは思った。この場合、この選抜方法が最も理に叶っているだろう。これこそ直接民主主義というものだ。五人は素早くお互いのぶらさがりものを手で摑み合った。デコのものだけがぶらさがっていなかった。

「デコ、おめえが相手することに決ったたっちゃ」

「おれ、ちょうどたん瘤のでっかい胸のこと考えてたからこうなったのっしゃ。あの顔ば思い浮べればすぐぶらさがるっぺ」

デコは必死に抗議した。しかし、ユッヘは非情に申し渡した。

「生《お》えたは生《お》えたのっしゃ。おめえは自分の本能に正直であらねばいかんよ」

それからユッヘはやさしい口調になって、

「また、たん瘤の胸ばかり見て、顔や脚はなるべく見ねぇようにすっことっしゃね」

と忠告した。

「駅から走ってきたもんだからすっかり汗かいてしまってっしゃ」

たん瘤が、その大たん瘤のような両頰をハンカチで拭きながら、稔たちの前に現われた。

「わたす、汗性なのっしゃ」

たん瘤は左手に紙袋の口を握っていたが、その握ったあたりが汗で湿《しめ》っているのを見て、稔はなぜか知らないがぶるぶると身慄《みぶる》いした。

たん瘤は当然のことのように俊介の横に並んで、

「ここは眺めが悪いっぺ。東側さ行かねすか？」

と言った。稔たちのことなどは彼女の眼中にはないようだ。

「悪いけどぼくはすぐ帰らなくちゃ……」

たん瘤の男のような太い眉がさっと曇った。

「なにす、なじょしたの？」

「うーん、そのう、姉が病気なんだ」

「あいやぁ……」

「約束は約束だから、待ち合せには出て来たんだけど、逢ったら事情を説明して帰らせてもらおうと思っていたところなのさ。……ぼくは姉と二人暮しだろ、ほかにはだれもいないんだ。夕飯の支度をしなくちゃ」

「あら、そんならわたすが手伝ってあげっぺか。カレーライス作らせっと上手《うま》いんだから」

「い、いや、いいんだ。姉はひどく胃が悪くて、辛《から》いものは医者に禁止されてるんだ。じゃ、さようなら」

俊介は言い終るやいなや駆け出した。たん瘤はその後姿を未練そうに見送っていたが、やがて、その団栗《どんぐり》まなこをジャナリに向けた。

「あんた、何て名前だったたっぺ？　芝居のパンフレットになんて書いてあったっけか……」

「おれ、名前を言ってる時間もねぇのっしゃ。なにしろ、おれの弟、ひどく塩梅《あんべ》悪《わり》いの。病院さ行ぐ日なのっす」

「病気はなにす？」

「なにがよかっぺ？」

「なにがよかっぺって、そげなごとおら知らね」

「あ、そりゃそうっすな。じつはチフスなのっしゃ」

チフスと聞いてたん瘤がひるんだ隙に、ジャナリは急ぎ足で去って行った。たん瘤はひとつ溜息をついてから、ユッへに言った。

「あんたでもええわ……」

「それが家の母親が危篤なのっしゃ。心臓が停まったり動いたりしてるとこなのす」

たん瘤はまた溜息をひとつ。それから今度は稔のほうを向いた。

「……煎餅でもどうっしゃ」

稔は困り果てた。母親が危篤などという物凄い理由が出たあとでは、なにを言い立てても理由にならぬように思われたのである。稔がうーうーと唸《うな》りながら言い訳を見つけようとして汗をかいているのを見兼ねたのだろう、立ち去ろうとしてたユッへが助け舟を出した。

「なにぼやっとしてんだよ、稔。おめえの親父、今朝がた死んだとこでねぇのすか」

これには稔も愕《おどろ》いてしまい、思わず、

「まさか死ぬはずねぇべ」

と言ってしまった。ユッへはすこしも動ぜず、

「そうか、命はとりとめたのすか。そりゃえがった、ほんとにえがった。でも危篤は危篤だっぺ？」

「ま、まぁな」

「ほんじゃ早《は》えぐ帰っぺ」

たん瘤は袋の中からゴマ煎餅を一枚取り出してばりッと勢いよく噛み、

「なんつごったべや、みんな家に不幸ばっか起ってんだねぇ」

と言いながら、デコのほうを見た。

「あんだのとこでもなにか不幸が起ってんの？」

「うん。じつは両親が……」

とデコが言いかけるのをユッへが傍から制した。

「デコのとこは両親も丈夫、兄弟も元気」

デコが泣きそうな顔をしながら、口をつぐんだ。

「このデコは去年までサッカー部の猛者《もさ》だったのっしゃ」

行きがけの駄賃でもあるまいが、ユッへがたん瘤にデコを売り込んだ。

「今年はサッカーを一時やめて猛勉中なのす。第一次志望は東大の法学部なんですと。東大のサッカー部を全国大学選手権で優勝させるつうのが、このデコの夢なのっしゃ」

たん瘤は口を動かすのをぴたりと停め、デコの顔をしげしげと見た。ユッヘはデコの額の胼胝《たこ》を指でぴーんと弾いて、

「よく見さいや、これはヘッディングで出来た胼胝なのっしゃ」

たん瘤の、デコを見る眼に、かすかな変化が現われたようだった。

「東大に入れる自信はあんのすか？」

「ねぇのす」

デコは簡単に否定した。

「デコは謙遜家だもんねぇ」

とユッヘがいかにも感じ入ったというように呟き、それから、急に南の方を指して、

「デコよ、あとで双観山へでもご一緒したらよかっぺ」

と智恵をつけた。双観山というのは、五大堂から南へ海岸伝いに行って約二キロほどのところにある小高い岬である。

「……わがってる」

デコはすっかり観念した表情で弱々しく頷き、たん瘤が折よくさし出した煎餅の袋に、素直に手をのばした。

一時間ほど後、稔たち四人は双観山の中腹をせわしく蛇行《だこう》しながら頂上へ達する小道を、足音を忍ばせて登っていた。足音を忍ばせているのは、十メートルほど前を歩いて行くデコとたん瘤に気付かれないための用心である。

デコのことだから、きっと双観山のどこかで、たん瘤に手を出すだろう、というのが稔たちの一致した意見で、それならひとつその場面を覗き見してやろうと、四人は五大堂の向いのまんじゅう屋で、まんじゅうを喰いながら、デコたち二人を先に行かせ、そこからずっと後をつけているのだった。もちろん、デコは四人がつけていることを知ってるだろう、と稔は思う。ときどき心細そうに後を振り返ってみたり、わざと歩みをのろくしてたん瘤から遅れてみたりしているのがその証拠だ。そういうときはなにもかもいやになっているのだろう。小道の左右は松の林で、女の子を抱き寄せたり、手を握ったりするには恰好の場所が続いている。いわば小道はホテルの廊下で、左右はいつでもご利用くださいというようにドアを半開きにした部屋なのだ。そのドアの前にさしかかるたびに気がはやり、しかし相手が相手なのでそのたびに気落ちする。デコがたん瘤から遅れたり、後を振り返ったりするのは、この気落ちの時期なのだ。

「あのねす、俊介さんて、女子の友達はいるのすか？」

たん瘤はさっきから俊介のことばかり話題にしている。稔たちが聞きつけただけでも、もう十数度目だ。

「さあ、居ねぇようだ」

おもしろくなさそうな口吻《くちぶり》でデコが答えている。

「好物はなんだべっしゃ」

「だれのすか。おれのすか、俊介のすか」

「もづろん、俊介さんのす」

「そんなごとおれ知るか。俊介のことばかりで面白《おもし》ぇぐねぇな。ほかの話すべ」

「うん。音楽は好き？」

「ああ……」

「作曲家では誰が好きなのっしゃ？」

「そんだなぁ……」

「わだすはショパンにチャイコフスキー」

「おれは米山正夫に万城目正《まんじょうめただし》」

「……詩の話すっぺ」

「ああ、詩もやっぱ米山正夫だっぺ、りんご追分は米山正夫の作詞作曲だもんね。りんごの花びらが、風に散ったよな……ええなァ」

「わだすの言ってんのは文学としての詩す」

「文学としての……すか？」

「ん、わだすはヘッセ」

「おれは……いねぇなぁ」

デコはまた遅れる。ユッへがデコめがけて石を投げ、しっしっと手を前へ振った。デコは悲しそうな顔をし、それからまたたん瘤と並んだ。

「最近、なにか小説、読んだすか？」

「小説……？」

「わだすは堀辰雄に感激したんだわァ」

「おれは角田喜久雄《つのだきくお》だっぺ」

「なに書いた人だっぺ？」

「風雲将棋谷とか、髑髏銭《どくろせん》とか……」

「ふん、知らねぇなっす」

デコの歩みがまた遅くなった。ジャナリが小石を投げた。小石がデコの脚に当った。デコは今度は怒った顔になった。

「……巴里のアメリカ人をどう思うべ？」

「巴里のアメリカ人？……巴里の人から見たら、巴里のアメリカ人は外国人つうことになっぺね」

「……わだすは映画の話してるのす！」

デコが絶望的な目つきで稔たちを振返って見た。もう勘弁してくれ、もう帰ってもいいだろう、とデコの顔は言っていた。稔たち四人は立ち止まり腰に両手を当て、デコを睨んだ。デコの顔に、もうどうにでもなれ、やけくそだ、というような表情が浮んだ。

「今年の五月のメーデー事件に高校生が三人加わっていたっぺ、こないだ三人とも起訴されたけっとも……。高校生の政治的活動についてどう思ってんのっしゃ」

「なんとも思ってねぇ！」

「あらら、なんつう政治意識の低い人だっぺ」

「ああ、おら程度低いのっしゃ。程度低いついでに聞くけっともっしゃ……」

「なに聞くつうの？」

「あんだ、メンスはいつからあったのっしゃ」

たん瘤が立ちどまってデコを見た。

「なんだべまず、なしてそげなご聞くのす、なして？」

「なしてなんばん辛くて喰《か》んね、だ」

デコは無駄口を叩きながら、たん瘤の左手首をぐいと握った。

「さ、松林の中さ歩《あ》いべ！」

デコが力いっぱいたん瘤の手を引いた。たん瘤がつんのめってくるのをやりすごし、背後から抱きすくめ、そのまま松林の中にもつれ込んだ。

「いいぞ、デコ」

「あいつついにやるっぺ」

「ん、見さ行ぐっぺ」

「しっ、声を立てるなよ」

稔たちも松林の中へ駆け込んだ。五、六メートル先の松の根元で、デコがたん瘤を膝の下に組み敷こうとして必死になっていた。が、彼女も力が強く、デコの思うようにはなかなかさせぬ。デコはいきなり両手でたん瘤の胸の、ふたつの膨《ふく》らみを握った。彼女がはっとしたすきにデコは腰にさげていた手拭いを抜き取って、その口につめ込み叫び声を封じた。これでたん瘤は急にひるんだ。そこにつけ込んでデコは彼女の黒い色の下穿《したばき》に手をかけた。地を這って二メートルほどのところまで近づいていた稔たちは息と生唾を同時に呑んだ。ついにデコが下穿を膝頭まで引きずりおろした。まくれあがったスカートの下に白いものが見えた。

(わぁ、なんつう白い肌っこだっぺぁ、外人みてぇでねぇすか!)

稔はおろしたてのハンカチのように白い、たん瘤の素肌に感動した。が、すぐに待てよと思い直した。たん瘤の手足は五年も六年も日向《ひなた》に曝《さら》した西洋紙みたいに黄色だったはずだ。なのになぜ太股の中ごろから画然として白いのだろう。目を凝《こ》らしてみて、稔はあっと言ってしまった。

(もう一枚はいてんだっぺ!)

なんという用心のいい女の子なのだろう、たん瘤は黒の下に白の下穿をつけていたのだった。

デコもそのことに気がついたようで、ほんの一瞬たじろいでいた。が、手を休めると、たん瘤が暴れ出すので、攻撃を続けるほかはない。デコはその白い下穿を引きおろした。白い下穿の下は真黒だった。稔はくらくらっとした。自分たちの思い描くありとあらゆる妄想の根源はあんなにも暗く黒いのか。

(……だけっとこれもちょぴっと変ではねぇすか)

いつかハツ子のをちらと見た、というより見せられたことがあったが、ハツ子のはこんな黒くはなかったはずだ。

デコがふわっと煙のように立ちあがって、道のほうへ歩き出した。

「途中でやめるな、もったいねぇでねぇか」

ユッへが這ったままの姿勢からデコを呼びとめた。

「最後までやれっちゃ、このばがやろ」

デコが稔たちの方を見た。億劫《おっくう》そうな、うんざりしたような、老人の眼だった。

「……おらもう世の中、やんだぐなったんだいっちゃ」

「な、なして？」

「あの黒いのは海水着なのす」

そうか、海水着だったのか、それじゃ明日の朝までかかったって無理というものだ。なにしろ、上下連結の海水着だから、上着も下着もすべて剝ぎ取らないうちは、それを脱がすことは覚束ない。挑みかかる方も理不尽であることはたしかだが、そこまで用心する方はもっと理不尽のような気が、稔にはした。

「……おら行ぐえ《え》よ」

デコはのろのろと道のほうへ歩いて行った。

（黒に白に黒……、なんつう女子《おなご》だっぺ。そこまで大切にあそこを守るほどの女子《おなご》か……）

稔は心の中でそう罵声を放ちながら、デコの後を追った。ユッへたちもそのあとに続いた。

一日おいた月曜の昼休み、一校時や二校時あたりにすでに弁当箱を空《から》にしてしまっていた稔たちが食堂へパンでも喰いに行こうかと席から立ちあがったとき、担任の軽石が教室に顔を出した。軽石はいやにむずかしい顔をして、稔たちに校長室へいっしょについて来い、と言った。

校長室に入って行くと、二女高の狐のおばさんがチョロ松に、おそろしい見幕でなにかまくしたてていた。立て続けに喋るので、眼鏡が鼻の先にずり落ちる。それをつうっと右の人指し指で押しあげてまた喋る。チョロ松はそれを聞いているようないないような表情、煙草をただ黙々と煙と灰にしていた。

「……わたくし、この責任はきっととっていただくつもりでおりますわ、校長先生にも担任の先生にも、そして五人のならず者にも、ねっ」

狐はけもののようにそう咆哮《ほうこう》しながら、膝の上で握りしめていた紫色の風呂敷包みをほどきにかかった。結び目はなかなかほどけなかった。稔はあんなに昂奮して喋りながら結び目もほどこうだなんて欲が深すぎると思って、狐の様子を眺めていた。おそらく狐は、たん瘤の一件で学校に怒鳴り込んできたのだろう。稔たちにはいつかどこから呼び出しがかかってくるだろうという予測はついていた。また覚悟も出来ていた。だが、その時期がこんなに早く来るとは思っていなかった。それが稔には予想外のことだった。

狐はようやく結び目をといた。狐は風呂敷の中から薄汚れた手拭を一本とりだし、両端をつまんでチョロ松の鼻先でぱたんと振った。それは稔たちが「一高手拭」と称しているやつで、白地に紺で校章と校名が入っている。校内の売店で一本二十五円の代物だ。

手拭の端には紙縒《こより》の付箋がぶらさがっている。なんだか法廷に提出される証拠物件といった感じでものものしかった。

チョロ松の眼前に手拭を突きつけていた狐は、彼がなんの反応も示さないので、どんどんとじれったそうに床を踏み、それからいきなり跳ねるように立って稔たちの方へ歩み寄り、

「あんた達、この手拭に見覚えあるでしょっ？」

とまた手拭を展げてみせた。

それはまったく汚い手拭だった。全体に手垢《てあか》で汚れているうえに中央には醬油の汚点《しみ》が日本列島のような模様を描いている。日本列島の横にアリューシャン列島とよく似た茶褐色の点々が連なっているが、どうやらそれは血の痕らしかった。ほかに胡麻粒ほどの大きさの膿《うみ》色の汚物が数個こびりついているが、それはおそらく眼脂《めやに》だろう。更によく見るとその手拭は標準よりも二、三センチ、幅が狭いようだった。足駄の鼻緒を立てたのか、指の傷にでも巻いたのか、それは知らないが、縁《ふち》の部分を縦に裂いて、なにか急ぎの役に立てたにちがいない。だから幅が狭いのだ。隅の方には金釘《かなくぎ》流の墨字で記したデコの名前があった。ご丁寧に「三年六組」と組の名まで入っていた。

そうすると……と稔は心の中で呟いた。一昨日《おととい》の午後、松島双観山の松林で、たん瘤の金切り声を封じるために、デコが彼女の大きな口の中に詰め込んだ手拭はこれだった

のか。たん瘤にはかけらほどの同情心も好意も持ってはいないけれど、この手拭を口中に押し込まれたときは、さぞかしぞっとしただろう。それだけは同情に値いする。なにしろ、デコの手拭と較べれば、どんな雑巾でさえも上等の絹布だ。

「どうなのっ、このぼろ布《きれ》はあんた達五人のうちのだれかのものなんでしょ？」

「先生《せんせ》、いっしょに英語劇やった仲でねぇのすか」

デコが手拭の自分の名前を指しながら言った。

「おれの名前が此処に書いてあるんだから、なにも訊くまでもなかっぺ。それとも、おれの名前と顔を忘れたのすか。年齢《とし》だね、先生も」

「まあ、なんて図々しい！」

狐は手拭を鞭のように振って、デコの額を打った。デコは涼しい顔をしている。デコはヘッディングの名手だ。手拭なんぞで打たれたって蚊が停まったほど、どころか埃が載ったほどにも感じていないにちがいない。

「校長先生、もうおわかりでしょう、あのならず者です、二女高《うち》の生徒を襲ったのは。山の中へ連れ込んで、いきなり飛びかかり、悲鳴をおそれて、口の中にこの手拭を押し込んだんです。ああ、なんておそろしい！」

狐は校長室の真中に立ち、まるで自分はいま暴漢に襲われているところだとでもいうように、顔を引き痙《つ》らせ、身悶《みもだ》えをした。

「ああ、そのときのわたくしの生徒の心を思うと、わたくし、哀れで、可哀想で、不憫《ふびん》でなりません。もしもわたくしが傍にいたら、この躰を投げ出しても、あの子を救ってあげたのに……。わたくしが身代りになっても、あの子を守ってあげたのに……」

狐は自分の言葉に感動して、思わず泪《なみだ》ぐみデコの手拭を眼に押し当てた。が、すぐに手拭の異臭に気付き、きゃっと叫んで、それを床に抛り出した。チョロ松が椅子から立ち上がって、床の上の手拭を拾った。

「斎藤先生、自分の躰を投げ出しても、たとえ身代りになってもその生徒さんを守ってやりたかったとは穏やかじゃありませんなぁ」

「ま、なぜです？　教師として自然の情でございましょう？」

「わしには、どうぞ暴漢にめぐり逢いたい、生徒を押しのけても自分が先に暴漢に組み敷かれたい、とおっしゃっているように聞えましたがな」

稔たちがくすくすと笑った。じつは稔たちもチョロ松と同じことを、狐の口吻《くちぶり》や身振りから感じていたのだ。もっとも狐を襲うほどの、博愛心と犠牲心を持ち合せた暴漢なんかいるわけはないだろうけど。

「いつわたくしが襲われたい、などと申しました⁉」

狐がすさまじい勢いで怒りだした。

「校長先生までがわたくしを愚弄なさるんでございますか！」

「いやいや冗談でやんすよ。あまりにうるわしい師弟愛なのでちょっと妬けましてな、いらぬことを申し上げました。すべて教師たるものはみな先生の如くでありたいもの、つくづく敬服いたしましたわ」

とチョロ松はうまく躱して、

「ところで、その生徒さんは、何人のわが校生に襲われたんすか？」

「襲ったのはひとりだそうですわ。あとの四人は覗きに回っていたらしいんですのよ」

「すると一対一すか」

「そういうことになります」

「で……、完遂だったんでしょうかな、それとも未遂だったんでしょうかな？」

すると狐は得意そうに肩を聳《そび》やかして、

「彼女は勇敢にも貞潔をまっとうしたんでございます。それにわたくし、常々から、男はみんな狼よと、生徒たちに言い聞かせております。どうしても男と二人きりになりそうな危険が予想されるときは、下穿の下に海水着をつけるように、また下穿を重ねばきするようにと指導もいたしております」

そうだったか、たん瘤の過剰防衛装備は狐の直伝《じきでん》だったのか。稔は狐の躰をじろじろと見た。狐のやつ、いまも海水着を身につけているのだろうかという好奇心に駆られたからである。

「あの子は生活美化委員でして、つまり風紀部長をしておりますわたくしの直属の部下と申してよろしいでしょう。そのせいもあってか、わたくしが日頃言い聞かせておりますことを忠実に守ってくれました」

「うむ、それはじつに卑怯な生徒さんですなぁ」

チョロ松が感嘆するような口調で言ったので、狐は思わず嬉しそうな顔をしたが、すぐに、チョロ松が賞めたのではないことに気付いて、硬い顔になった。

「……卑、卑怯ですって？」

「彼女はわが校の生徒に誘われて、たったひとりで山の中へついて行くと心を決めたとき、山の中へ行くことによってどんなことが生じようと、生じたことの責任は自分ひとりでとる、ということも決心しなければならなかったんではねえですか。つまり、ある選択をするということは、その選択によって生れるはずのマイナスをすべて背負うぞ、ということでやんしょ」

「……で、でも」

「ま、聞いてけさい。なのに彼女はひょこひょこ山へ行き、行ったら当然起るであろうことが起っただけなのに、乱暴されたとわめく、これはじつに卑怯ですなぁ」

「そんな乱暴な意見て聞いたことがありませんわ。あの子はまだ子どもです、子どもにそこまで要求できません」

「もう立派な大人でしょう。その気になれば子どもが生める年齢《とし》でねぇの」

「まぁ……！」

「もしも子どもだとすれば、先生、あなたが子ども扱いしているだけじゃありませんか。たとえば海水着がそうですな。そんなもので防ぐことばかり教えるのはどうかと思いますぞ」

「な、なぜでございますか！」

「いざとなった場合はそれで防げる、だから安心、安心だからちょっと男の子の誘いに乗ってみようかしら、こうなるわけですな。それよりはむしろ、いざとなったら防げない、行くについてはすべてを引っかぶらなくちゃならない、だが自分にすべてを引っかぶるだけの覚悟があるか、あるなら行《え》ぐべし、ないならよすべし。これが本筋ではねぇんでしょうかね。斎藤先生、股の間におしめをつけているのは赤ん坊だけだっぺ」

「……」

「まあ、今回はわが校の生徒にも多少粗暴なところがあったつぅのは認めるす。そこでわが校の粗暴とあんだ方の学校の卑怯、これは一勝一敗の痛み分けだっちゃ。あ、そうそ、正門の前に鰻の旨《うめ》ぇ店《どこ》があんのっしゃ。そこで鰻重の特上でも差し上げっぺ。そこの鰻喰ったらもう他のはおかしくて喰えねぐなるがらねす、覚悟してけさいよ」

あっけにとられてぽかんと立っている狐を校長室から送り出しながら、チョロ松は例の手拭をデコのほうへ投げた。

「今度、なにかすっときは、新しい手拭か、せめて洗濯したやつを使うようにせねばなんねぇぞ。それが女性に対する礼儀つうもんでがすぺ」

小声でそう囁くと、チョロ松は、さ、斎藤先生、どんぞどんぞと陽気に言い立てながら廊下に出て行った。

さすが校長というのは莫迦ではできない仕事だなぁ、と稔は感心した。おだてて乗せたり、押すと見せて引いたり、撫でておいて張り仆《たお》したり、鮮やかなものだ。

「みんなちょっと坐れや」

それまでずうっと校長室の窓から校庭を眺めていた軽石が、稔たちのほうを振り返ると、校長の執務机の横のソファを顎で指した。稔たちが腰をおろしてからしばらくの間、軽石はなにもいわずに、再びじっと校庭に眼をやっていた。

なんだろう、軽石はどうしたんだろう、いつも思ったことをずばずば口にする、いわば単線運転の男なのに、なにを考えているんだろう。稔たちはそんなことを考えながら軽石の背中を見ていた。やがて、その背中がひと揺れして、軽石が稔たちのほうを向いた。

「昭和十二年、おれが本校の三年生のときだけっとも、おれの二年先輩の五年生が、二女高の四年生と恋仲になった。おれはその五年生と親しくしていたから、どういうきっかけでその二人がお互いに好き同士になったかも知らねぇわけではねぇ。が、まぁ、好きになったきっかけがああだったこうだったというのが目的ではねぇから、それは省く。とにかく二人は好きになったのっしゃ。心底《しんそこ》から惚れ合ったのっしゃ……」

教師がこういう話をはじめると、照れくささが半分、きまり悪さが半分で、妙な声をあげたり、ことさらな大声で笑ったりするのが稔たちの常だが、軽石の口調は淡々としていて、しかも勁《つよ》さに溢れていた。稔たちはそれに気圧《けお》されて、軽石の顔をただ見守っていた。

「そうこうするうちに、先輩は恋人の躰がどうしても欲しくなった。惚れた相手の躰に深く入って行きたい、これは男としては自然の感情だっぺね。また、相手の女生徒も素直に愛する男を躰の奥へ迎え入れたいと思った、これもまた女としては自然の心情だっちゃ。たしか十月のはじめ、いまごろのことだった。ふたりは宮城野原へ出かけていった。今はだいぶひらけてしまったすが、そのころの宮城野原はただもう広くて、小高い丘があればその向うに野生の萩の密生する平地があり、さらにその先には小さな祠《ほこら》をまつった小さな林があるというようなところで、人もあまり訪れない静かな野原だった。二人はその一隅に、愛をかわすには願ってもないような場所を見つけた。二十メートルもあるような高い、そして太い銀杏の樹の下に小さな窪地があった。そこには柔かなオランダげんげ草がびっしりと生い茂っていた。二人はその上に横たわった。抱き合う前に先輩は自分のものに用意してきた鉄漿《おはぐろ》をたっぷりと塗った。鉄漿には避妊薬としての強い効き目があるとそのころは信じられてたのっしゃ」

軽石はここで床に眼を落とし、しばらくの間、口を閉していた。話を先へ進めるのがいかにも辛いといった表情だった。

「……二人は知らなかったのだけっとも、その日は、第二師団の演習日でねぇ」

軽石がようやく重い口を開いた。

「二人が抱き合っている最中に、いきなり完全装備の兵隊が四、五人、窪地に飛び込んできた。兵隊たちも驚いたが先輩もびっくりした。そして女生徒のほうはもっと愕いた。先輩は女生徒から躰を離そうとしたが、彼の躰は、下半身のあたりを女生徒の腰にしっかりと釘付けにされたようになって、びくとも動かなかった。女生徒は膣痙攣というのを起していたのっしゃ。二人は病院に運び込まれた。強度の痙攣だから放っておくと二人とも命が危いかもしれない、それが医師の診断だった。時代が時代だったねっす。男はお国のために役に立つというので、先輩は助けられ、女生徒は殺された。つまり医師は膣を切り取って、二人の躰を引き離したわけだっちゃ。女の子とつき合うには、それだけの覚悟のいる時代だったのす」

一気に語り終えた軽石は、そのまま出口に向って歩き出したが、出口のところでふと立ちどまって、稔たちを振り返った。

「その先輩は昭和二十年に沖縄で戦死した……」

稔たちは五校時の太鼓が鳴るまで、身じろぎひとつせず、校長室のソファに腰を下ろしたままでいた。

七

それから半月ばかり、稔たち五人は、それまでになくおとなしく暮した。デコはグラウンドに出て二年生や一年生とボールを蹴るのに専念していた。ジャナリはそれまで肌身はなさず携行していた座右の書『人体解剖実習書』を兄貴の書架に戻し、かわりに『幾何学実習書』という参考書と睨《にら》めっこをはじめたようだった。ユッヘはまた山に登り出し、俊介は『フランス新文典』と金文字を捺《お》した部厚い本を始終眺めていた。

稔もまた書棚の隅のほうから赤尾の豆単を探しだし、赤鉛筆を手に最初の一頁から暗記をはじめた。

(こんどは前のように『abandon』でやめたりはしないぞ)

と稔は固く決心した。しかし、それにしても、赤尾の豆単による英単語の暗記は『a《エイ》』の次の『abandon』へ移ると、その途端にやる気がしなくなるのはなぜだろうか。稔は『エイ』の次にすぐこの『アバンダン』が続いているのがいけないのではないか、と思った。『アバンダン』の意味は、豆単によれば「捨てる」である。また「やめる」とか「諦める」という意味もある。それが「エイ」のすぐ次にくるのだから「エイ、捨てた！」「エイ、やめた！」となるのは当然ではないだろうか。

こんなくだらないことを考えてばかりいるので、暗記の勉強はなかなかはかどらなかった。それでもやっと五頁ほど進み、五頁最下段の『accompany』を暗記しているところへ、ユッへが大東岳という近くの山に登らないかと誘いにきた。千四百メートル足らずの低い山で、一泊で充分だという。稔は山はあまり好きではなかったが、考えてみれば『accompany』には「～に同伴する」という意味がある、ちゃんと豆単に肉太活字でそう載っているのだ。これもなにかの因縁ではあるまいか、と稔は思ったので、ある土曜の朝ユッへに同伴して大東岳へ向い、日曜の朝、その頂上から日の出を拝んだ。その登山行に豆単を携帯して行った稔は、途中の山道で、『accompany』に続く『accomplice』と『accomplish』のふたつの単語を完全に暗記することに成功していたので、大東岳の頂上でユッへに、「おらだはついに大東岳登頂を accomplish したのねす」と言った。「なんだっぺ、その外国語は？」とユッへが訊いた。「アカンプリッシュ、英語で成し遂げるつぅ意味っしゃ」と稔は得意そうに答えた。

その日の夜、二口峠を越えて山寺へ下りた二人は、駅前のそば屋で腹ごしらえをしてから、自分たちの町へ向う最終列車に乗った。三等車の座席に坐るとユッへはすぐに鼾《いびき》をかきだした。その鼾で寝そびれた稔は、仕方なしに胸のポケットから豆単を引っぱり出して、単語の暗記をはじめた。八頁の上から六番目の『acquaintance』まで進んだとき、汽車が作並というところへ停まった。

(『アクウェインタンス』とは「名詞。知っていること、面識、知人」……)

と呪文のように唱えながらふと何気なく窓外を見た稔は、一輛前の二等車へ、『よく知っている、面識ある知人』が一人ばかりか二人も乗り込もうとしているのを見てすっかり愕いてしまった。その二人とはチョロ松校長と多香子ねえさんだった。ある単語を暗記するとその途端、その単語の意味が現実のものとなる。これはいったいどういうことなんだろう、と稔は訝った。ひょっとしたら豆単の編者である赤尾好夫先生は、この豆単を受験用のほかに占い用としても役立つように編集なさったのだろうか。だとしたら、百四十三頁は暗記せずに飛ばしたほうがいいな。そこには『dead』が、すなわち「死」が待っているのだ……。

(……いや、そんなことはどうでもいいんだ、いったいぜんたいどうして多香子ねえさんは、チョロ松などと、日曜の夜に、作並から汽車に乗る必要があったんだろうか)

豆単を胸のポケットに納め、窓の外の夜の闇へ眼をやりながら稔は考えた。

芸妓と校長と山間《やまあい》の小さな町。この三者には何の関連もない。だが、そのうちに稔は作並が温泉である、ということに気付いて、あっと思った。《芸妓・校長・山間の小さな町》は《女・男・温泉》と翻訳すべきではないのか。これなら関連は大ありだ。大ありどころか三位《さんみ》一体《いったい》だ。

「ユッヘ、起きろ！　大変だっちゃ」

稔はユッヘの鼻をつまみ、口を押えて、ゆり動かした。

「ユッヘ、大事《おおごと》だっぺ！」

ユッヘは息苦しさに藻掻《もが》きながらとろんと目を開けた。

「な、なにす、脱線すか、転覆すか？」

「そんじゃねぇ、チョロ松が作並から二等車に乗ったのっしゃ」

「……ばか。なんでそげなくだらねぇことで他人《ひと》ば起すのっしゃ。チョロ松がどこで汽車に乗るっぺど駕籠《かご》から降りっぺどおれには関係ねぇのっちゃ」

「だけっともチョロ松はな、多香子ねえさんと一緒なんだっちゃ」

「なぁぬう、多香子ねえさんと……⁉」

ユッヘはバケツで水を百杯も浴せかけられたような、はっきりした顔になった。

「本当か！」

ユッヘは跳ね起き三等車から飛び出して行った。稔もそのあとへ続いた。ユッヘが二等車のドアをそっとこじ開けた。

二等車は空いていた。真中あたりの座席に、チョロ松と多香子ねえさんが稔たちの方を向き、並んで掛けていた。

稔は、二等車を覗くまでは心のどこかにまだ「ひょっとしたら」というはかない望みを持っていた。チョロ松と多香子ねえさんは別々の用事で作並へ来て、偶然に駅で出逢ったのかもしれない。あるいはまた、作並の温泉旅館の若旦那かなんかが多香子ねえさんを見染めて、知り合いのチョロ松に口ききを頼み、それを引き受けた校長が彼女を伴って作並へ結婚話をまとめにやってきたのかもしれない。……稔は多香子ねえさんがチョロ松と同じ風呂に入り、同じ浴衣やドテラを着て、同じ布団に寝たのだとは信じたくなかったのだ。

だが二等車でチョロ松と並んで坐っている多香子ねえさんの表情をひと目見て、稔はこのはかない望みを捨てた。彼女はこれまでに見たこともないほど仕合せそうだった。大きな眸がしっとりと濡れて、しかも輝いていた。稔たちと彼女のところまでは結構遠いのに、その眸の輝きは眩しいほどだった。多香子ねえさんはチョロ松がなにか口を開くたびに、嬉しそうに笑い返していた。まるで多香子ねえさんは、数え切れないほどの障害を越えて、ようやく式を挙げ、新婚旅行に行く途中の花嫁のように見えた。

やがて、多香子ねえさんは長い髪をチョロ松の肩にそっと預けて眼を瞑《つむ》った。チョロ松はその髪に頰を近づけ、自分の膝の上に置かれた彼女の手を静かにやさしく撫でている。稔とユッへが爪先立ちをし、全身を眼にして多香子ねえさんの寝顔を視ていると、彼女の眼頭《めがしら》がちかっと微かに光った。汽車が駅に停って彼女の顔がすこしゆらいだ。眼頭でちかちかしていたものが流れ星のように頰へ落ちた。

「……あのチョロ松の野郎《やろ》、おらだちの多香子ねえさんの手なんか撫でやがって。ちきしょう、拳固ばみっつよっつ、ぶっくらせつけてやっぺ！」

ユッへが二等車の中へ躍り込もうとした。稔がそれを背後から抱きついて止めた。

「やめろ、ユッへ、ここは汽車の中だっぺ」

「汽車の中だろが便所の中だろが構うもんでねぇ。稔のばがやろ、離せ！……おめえ、腹立たねぇのか？」

「腹ぁ立つ！」

「じゃ一緒にぶっくらせつけに行ぐべ」

「多香子ねえさんの前でチョロ松ばぶっくらせつけるのには反対なのっしゃ。多香子ねえさんがかわいそうだっぺ」

「……そ、そりゃそうだけっともよォ」

「チョロ松に天誅《てんちゅう》ば下すのは後だ、チョロ松が独りで居ったときっしゃ。デコやジャナリともかたらって、みんなでぽかぽか天罰ば加えんべし」

ユッへが全身の力を抜いた。稔はユッへを三等車のデッキのほうへ押して送り出しておき、もう一度、ドアの隙間から二等車の中を窺《うかが》った。

……多香子ねえさんはいまや、チョロ松の肩にすべてを託して、静かに眠っていた。

あくる朝、教室でデコとジャナリを摑まえた稔とユッへは、二人に前の夜に二等車の中で見たことを話した。ジャナリは、これからすぐ職員便所に隠れてチョロ松を待ち伏せし、やつが現われたら四人で殴りつけよう、と言った。デコは、便所に隠れるなど姑《こ》息《そく》だ、これから堂々と校長室へ乗り込もうじゃないかと、拳で机を打った。

そこへ俊介が入ってきた。ユッへが俊介に言った。

「おらだち、今、校長室さ行《え》ぐどこだ。俊介も行ぐべし」

「おれが？……なにしにだ？」

「チョロ松を殴るのす。俊介、じつを言うと、チョロ松を一番ひどく殴っていいのはおめぇだっちゃ」

俊介は首を捻って四人を見た。俊介はまだ何も知らないらしいな、と稔は思った。

「……俊介、おれと稔はな、昨夜、多香子ねえさんがチョロ松と作並温泉から二等車に乗るところを見たのっしゃ。そうだったよな、稔」

稔は大きくはっきりと頷いてみせた。

「この眼で見たんだっちゃ、はっきりと。チョロ松は二等車の中でずうっと多香子ねえさんの手ば握ってた……。嘘じゃねぇのす」

「……誰も嘘だとは言ってやしない」

俊介は怕《こわ》い眼付きをして言った。

「行先はいわなかったけど、姉貴が土曜日曜と留守だったのは事実だしな……。でも旅行の相手がチョロ松だったとはなぁ」

怕い眼付がふっと虚《うつ》ろになり、机の上に置いた鞄を重たそうに持ちあげて、俊介はそのまま、教室から出て行ってしまった。どうせ校長室へ行くなら俊介と一緒にと思い、稔たちは彼の戻るのを待った。だが俊介はその日一日、稔たちの前に戻ってはこなかった。火曜日も、水曜日も同じで、彼は学校に姿を現わさなかった。

水曜の午後、家へ帰った稔は、帳場の黒板に母親の字で、

『一高校長先生他三名様。残月』

と書いてあるのを見た。残月というのは稔の家で一番上等の座敷のことである。

その夜、稔はユッへたちに集合をかけ、四人の顔が揃ったところで、俊介の家へ出かけて行った。

俊介の家は、稔のところ、つまり花街の、裏の通りをさらにもうひとつ裏に入ったところに建っていて、小さな庭の向うは東北本線である。列車の灯が火の河のように流れるたびに桐の箪笥《たんす》の引き手がかたかたと鳴った。

「俊介、チャンスだっぺ」

家にあがり込んだ稔は、庭に面した六畳で肘枕《ひじまくら》をしながら横になっていた俊介に言った。

「チョロ松が今夜うちで飲んでいるんだけっとも、あいつ、帰りはいつも駅前までぶらぶら歩くんだっちゃ」

俊介が躰を起した。それでそれから？と話のつづきを催促しているような仕草だった。

「だから、うちの裏で待ち伏せしてればあいつを殴れっつぉ」

「これは天が与えた機会つうもんだっぺ」

とユッへが俊介の前に坐りこんだ。

「なあ、俊介やっぺ」

「……ああ」

「ばかに気のねぇ返事ばするんでねぇか」

「そうじゃないさ、おれだってやる気は充分なんだ。ただ姉貴の気持がおれにはどうもよくわからない」

「どういうふうにわからねのすか？」

とジャナリが訊く。

「姉貴にはいろんな話が持ち込まれている。結婚話に再婚話、それからどこかの金持のじじいが落籍《ひか》してやるという話……、それこそ腐るほどあるんだ。むろん、そのどれを選ぼうとそれは姉貴の自由だ。おれは構わない。だけどそれがなぜよりによってチョロ松なのか……。じつはユッヘから、姉貴がチョロ松と作並にいたと聞いたとき、おれは家《ここ》へ飛んで帰って、姉貴に、なぜチョロ松かと訊いたんだ」

「そんで、多香子ねえさんはなんて言ってたっぺ？」

「好きなんだとさ。あのチョビ髭が芯から好きなんだと言ってた。それもとても嬉しそうにだよ」

「ほかにも何か言ってたべか？」

「ああ。好きな人と結ばれたからとても仕合せ、なんだってさ。姉貴のお袋さんもそうだったらしい。おれの親父を好きになって、姉貴が生れたとたん、はっきり言えばまぁ捨てられたわけだけど、一生、わたしは仕合せ者だよと言って暮していたらしい。そのお袋さんの気持がいまは痛いほどよくわかる……、姉貴はそう言っていた」

「それはつまり、こういうことじゃねぇっぺか」

とジャナリが俊介の話に割り込んだ。

「多香子ねえさんはちかぢか誰かのところへ嫁か妾《めかけ》に……」

デコがジャナリの頭をぐいと小突いた。

「このばがやろ。喋ることに気ィ付けろ」

「悪《わり》いがったなっす」

ジャナリは素直に頭をさげて、

「……とにかくっしゃ、多香子ねえさんにあまり気の進まねぇ話が持ちあがっているのだっちゃ。気は進まねぇが、多香子ねえさんもそろそろ年齢《とし》だがら……」

今度はユッヘがジャナリの横ッ面を張った。

「多香子ねえさんはまだ二十三だっぺ。なにが年齢《とし》だっちゃ！」

「……で、そのう、ぼつぼつ身を固めなくちゃなんねぇ。つまり、馬には乗ってみっぺ、人には添ってみっぺつうわけっしゃ。そこで、それについては、お慕いしているチョロ松様に大事なものを差し上げた……」

言い終らぬうちに稔がジャナリの額を指で弾《はじ》いた。

「ほんとうに喋ることに気ィ付けろよ。多香子ねえさんはそれほど小狡《こずる》い女《ひと》じゃねぇっぺ」

「そんだ、その通りだ！」

ユッヘとデコが左右からジャナリに拳固と平手を追加した。ジャナリは黙ってしまった。

「ジャナリと同じことを、じつはおれも考えたんだ」

俊介が言った。

「それで、姉貴に訊いてみた。姉貴ははっきり否定したよ」

「それみさい！」

ジャナリに、また稔たちの爪弾きや拳固や平手が集中した。ジャナリは転げまわってそれを避け、縁側に避難した。

「姉貴は、彼女のお袋さんと同じように一生花街で働くそうさ。チョロ松には家庭がある、それをこわすつもりはない、チョロ松との今度のことを胸の奥に大事に仕舞って、これまでと同じに生きて行く。そう姉貴は言っていた。女ってのはなにかというとすぐ結婚したがるだろう、なのに姉貴はなぜチョロ松を選んだのか。これじゃまるで常識の逆を行っているようなものだ。そこがもうひとつぴんとこないのさ」

「チョロ松がなんかうまいこと言って多香子ねえさんをまるめこんだっぺ」

ユッヘがひどく確信ありげに叫んだ。

「いつか校長室で二女高の狐をまるめ込んだことがあったっちゃ。あれなのす、あの手を使ったのっしゃ。芸者というものは日蔭の花でございます、日蔭の花には日蔭の花の生き方があるのでございます、結婚結婚とさわぎ立てるのは日向の花のすることでございます、日蔭の花はひっそりとむくわれない恋の花を咲かせるのでございます、なーんていってよ、多香子ねえさんを乗せちまったんだっぺ」

「ユッへ、いいこと言うぞ」

縁側からジャナリが手を叩いた。

「……たしかにチョロ松が口先三寸で多香子ねえさんを乗せておいて、つまりは多香子ねえさんの上に乗っちまったのっしゃ」

「あ、またよくも下品なこと言ったっぺな！」

ユッへが縁側に飛んでいってジャナリに拳固の出前をした。じつに迅速な出前振りだった。

「俊介、さあ歩《あ》いべ。おらだちの多香子ねえさんをたぶらかしたチョロ松に天誅ば下すべし！」

デコが俊介の手を引いて立たせた。立ち上がった俊介はうんと頷いて、机の上に投げ出してあった制帽をかぶった。

それから稔たちは例の階段部屋へ明り窓から忍び込み、稔が隠しておいた銚子を廻し飲みしながら、残月が静かになるのを待っていた。

五人に銚子が二本だから、酔っぱらってしまうというほどの量ではない。しかし、戦意高揚には適量であった。五人は「ちきしょう」「やってやっぺ」などと低い声で口々に呟きながら、掌に拳を打ちこんだり、拳に息を吹きかけたりしながら、時のくるのを待った。

おれたちはまるでディズニイの『白雪姫』に出てくる小人たちのようだな、と稔は思った。多香子ねえさんのためならば、どんなことでもやってのけるんだ。いやひょっとすると小人たちが白雪姫を愛するよりも、もっと多香子ねえさんのことを大切に思っているんではないだろうか。小人たちは白い馬に乗って現われた王子さまが白雪姫に求婚すると、自分のことのように喜んでいたが、おれたちはあんなに生っちょろくはない。誰が現われようと多香子ねえさんは渡さないのだ。彼女を真に仕合せに出来る立派な男性が現われても断乎追い返す。不人情のようだが追い払う。間違っているかもしれないが追い散らす。ハイホーハイホー……。

稔が小人たちのテーマを歌い出そうとしたとき、残月から客の立つ気配がした。五人は窓から外へ抜け出し、チョロ松が通る筈の裏道へ先廻りしたが、そのとき稔は明り窓の上方の壁にいやというほど額をぶっつけてしまった。すっかり小人になったつもりでいた稔は、明り窓ぐらい立ったままで通れると錯覚し、いつものように屈《こご》んで通ることをしなかったのである。

煌々《こうこう》とした月が空にあった。月のきれいな夜は、すべての物音が澄んできこえるというが、それは本当のようだった。稔の家の前で『たじま』の女将《おかみ》、つまり稔の母親が、「これつまらんもんですけっとも、お家さお土産《みやげ》にしてけさい」と客にお土産の羊羹《ようかん》や最中《もなか》を手渡しているのが、手にとるように聞えてくる。その声がやむとすぐ表通りに影が四つ。

その影のうちで一番小さいのが、稔たちの潜んでいる裏通りを指して、

「わしはこっちの道から駅さ出っことにすっぺっちゃ」

と甲高い声で言っている。チョロ松の声であることは間違いがない。三つの影が、

「ほんじゃまたお明日《みようにち》……」

と手を振りながら表通りを去っていった。

やがてチョロ松の影は左に寄ったり、右に逸れたりしながら、稔たちの潜んでいるほうへ近付いてきた。

あと十メートル、というところで、五人は通せんぼするような形で裏通りいっぱいにひろがった。それに気付いてチョロ松の足が停まる……。

「だれだぺっちゃ？」

「だれだぺっちゃじゃねぇぺっちゃ」

ユッへがからかう。だが昂奮しているらしくすこし吃《ども》っている。

「手さぶら下げたのは何だっぺ？」

と今度は稔が訊いた。箱を見れば町の名物の白松最中《しらまつがもなか》であることがすぐわかるのだが、稔がこうたずねたのには魂胆《こんたん》がある。

「……これは白松最中だっちゃ」

「へーん、チョロ松が白松喰ったら松と松で共食いではねぇのすか？」

他の四人が笑い声をあげた。

「……諸君は本校の生徒ではねぇべか」

チョロ松は渾名を肴《さかな》にからかわれたことから気が付いたらしく、そう訊いてきた。

「諸君はたしかに本校の生徒だっぺ？」

「そういうあんたはたしか本校の校長チョロ松だっぺ？」

とデコが口真似をしながら一歩前に進んだ。チョロ松は薄気味悪くなったと見え、二歩後退した。ジャナリが素早くその背後に廻り込みながら、

「チョロ松君、あんだはそのチョビ髭ひねくりまわし、うまいごと喋って、これまで何人の女子《おなご》をたぶらかしてきたのすか。五人か、六人か、さあ自分の胸さ尋《た》んねでみろ」

「なにば言ってんだっぺね……」

「とくに最近あんだは清純可憐な二十三歳の乙女ば欺《だま》したべ」

「先週の土曜と日曜、どこへ行ってたんだ。ちゃんと証拠《ねた》はあがっているぞ」

俊介がチョロ松の襟を摑んだ。

「さっさと素直に白状しろ。そして謝れ！」

「おお、君は渡部俊介でねぇべか？」

チョロ松はようやく稔たちに気がついたようだった。

「……それから『たじま』の倅《せがれ》の稔。あ、ユッへにジャナリ」

デコがどういうわけか両手で顔を隠した。

「……いま顔を隠したのはデコだっぺ？　額の胼胝《たこ》に月の光が当ってんだっちゃ。隠したって駄目す」

「じゃがますい！　天誅だっぺ！」

デコがチョロ松の頰を殴った。それがきっかけで残りの四人が一発ずつ、「天誅！」「天罰！」と喚きながらチョロ松の顔に拳固を見舞った。チョロ松は地面に尻餅をついた。近くで犬が吠えはじめた。がらがらっと戸のあく音がして、

「だれじゃ、こんな夜更けに表で騒いでいるやつは！　いま行く。待っておれ」

元少佐が庭下駄をつっかけてこっちへやって来る気配がした。

チョロ松が頰を押えながら、よろよろと立ち上がった。

「……諸、諸君、わしを殴ったことを、他の人にいっちゃ駄目だっちゃ。今のことは一切口外無用だっぺ」

チョロ松は最中の箱を抱き、背をまるめて走り去った。へんなやつだな、と稔は思った。人が来たのをさいわいに生徒が校長に暴力を働いた、と騒ぎ立てるのが普通ではないのか。とくにチョロ松はそういうことには抜け目のなさそうな型《タイプ》なのに、他人に見られるのをおそれてあたふたと立ち去ったばかりか、決して口外してはいけないと口封じ

までして行った。稔はふとチョロ松という人物がわからなくなってしまった。

「……おう、なんじゃ、誰かと思えば稔くんたちではないか」

木刀を杖がわりにした元少佐が庭木戸を押して現われた。元少佐は、手を拳固に握りチョロ松の去った方を凝《じっ》と見つめている五人の様子から、なにか思い当ったらしく、

「喧嘩じゃな？」

と訊いてきた。それに稔は答えた。

「天誅っしゃ！　天誅を下してやったのっしゃ」

「おう、天誅とはよう言うた。久し振りに聞く言葉じゃ、ええ言葉じゃのう。で、相手は誰か？」

去りぎわのチョロ松の念押しがあるので、稔たちはその問いには答えることが出来なかった。その様子から元少佐はまたまたなにか思い当って、

「……二高じゃろう？」

「うーん、まぁ、そんなとこだっちゃ」

「そうだろうと思うとった。で、喧嘩はどっちの軍に理があったのかね？」

「理は圧倒的におらだちの方にあったっぺ」

「おお、よい、それはよい。喧嘩はどちらも悪いというがあれは嘘じゃ。一方が理なれば他方は非、物事にはかならず理非がある。勝ってもよい、負けてもよい、だが常に理のある喧嘩をせねばいかん。で、正々堂々と闘ったか？」

「……まあ、だいたい……」

五対一で殴ったのだから、正々堂々とは言えないが、稔はそこを曖昧にぼかした。

「だいたいでも正々堂々の態度を貫いたのなら立派なものじゃ」

と元少佐はますます乗って、

「勝負はどうじゃった？」

「そりゃぁおらだちの一方的な勝ちだったっちゃ」

「おお、でかした！　それでこそ一高生、わが後輩じゃ。一高健児諸君、応援歌一番！　歌え！」

元少佐は木刀を左手でしっかりと地面に立て、それを支えにしながら右手を旗のように振った。階段部屋で口中に含んだ酒と、多香子ねえさんのために校長を殴ってやったという気負いと、元少佐の賞讃の声とに煽《あお》り立てられて、稔たちも左手を腰にあて、右手に帽子を摑んで、それを上下に振った。

山も怒れば万丈の
煙を吐いて天を衝く

緩《ゆる》けき水も激しては
千丈の堤破るらん
見よ男性の意気高く
堂々と勝つ一高軍
応援歌の途中で近くの家々の戸が開いて、「やがましなぁ」「これじゃ寝られねぇべ」と不平を鳴らす声がしたが、元少佐と稔たちはそれには構わず力いっぱい歌った。
銀鞍軽く凜然と
白馬に跨がる我が選手
日頃きたえし渾身の
技量に飾る晴れ戦
綽綽《しやくしやく》すでに敵を呑み
一瞬蹴破る敵の陣……
おしまいのあたりで元少佐が両手で木刀に縋《すが》りつき、躰を海老のように曲げ、咳込みはじめた。咳込むたびに糸のような涎《よだれ》が幾筋も地上に垂れた。
「どうも、寒くなると咳が出てかなわん」
咳の合間にそんなことを呟きながら、元少佐は庭木戸から庭へ入って行った。柴犬がそのあとを気遣わしそうに蹤《つ》いていった。

一方、稔たちには、応援歌は酒よりも強烈に効いたようである。笑い上戸や泣き上戸や怒り上戸になるかわりに、彼等は残らず正義上戸になっていた。

五人の口から、いくら莫迦《ばか》でも校長は校長、その校長を殴った責任をとるべきである、という意見が同時に出され、つづけて、直ちに学校へ退学届を提出しよう、という見解が出された。

五人は稔の階段部屋に取って返し、稔のノートを破って五人連名の退学届を認《したた》めた。その文面は『このたびわれわれ五人は正義を守るために退学します』というもので、正義上戸の面目が躍如としている。

稔はこの最中に、「もうこんなもんはいらねっちゃ！」と叫びながら、明り窓から教科書や参考書を抛り出した。赤尾の豆単を投げるときは「エイ、アバンドン！」と声を掛けて景気をつけた。この騒ぎに稔の両親がなにもいわなかったのは、二階にもう一組賑やかな客たちが残っていてすべてはそっちの方の騒ぎだろうと思っていたからである。

退学届を書き上げた五人は、応援歌を放唱しながら学校へ出かけた。このあたりから、彼等の正義上戸は蛮行上戸のほうへやや移行しており、デコなどは家々の表札を一軒ずつずらして掛け直して行った。まだ正義上戸気分がだいぶ残っていたジャナリが「そだなごとやめたほうがよかんべっちゃ。郵便配達人がまごつくっぺ」と諌《いさ》めると、デコは傲岸《ごうがん》にも「このへんに郵便が届くような気のきいた家が一軒でもあっぺか」といった。

学校の通用門が閉っていたので、ユッへが門を攀《よ》じ登って越え、裏庭の太鼓を打ち鳴らした。間もなく裏門校長が襦袢にパッチという恰好で走り出てきた。

「な、なにすっぺっちゃ」

裏門校長は、ユッへが手に持つ桴《ばち》を必死で押えた。

「いったい何の用だっぺ？」

ユッへがポケットから退学届を取り出した。

「これを明日の朝、チョロ松に渡してほしいのす」

「中身はなにっしゃ」

「それは極秘だっちゃ」

退学届を渡しながらユッへは裏門校長の手を握った。

「裏門校長、いろいろお世話になったっぺ。達者で暮せっちゃ」

裏門校長は通用門を攀じ登って去るユッへの後姿を首を傾げながら見送っていた。

この間《かん》、門外の四人はすでに正義上戸から完全に蛮行上戸に移調しており、裏門校長がユッへに気をとられている隙に、門柱に掛けてあった張り板ほどの大表札を取り外していた。

五人はその『××第一高等学校通用門』と記された大表札を交代で背負い、応援歌を高唱しながら行ってどうする、というあてはべつになかったが、駅のほうに向って歩きはじめた。

「……よく考えてみっと、これはすこしばっか、変ではなかっぺか」

と、応援歌の切れ目に、稔が四人に訊いた。

「おらだち、学校ばやめたんだっぺ。なのになんでおらだちは学校の応援歌ば唱ってんのっしゃ？」

「学校の応援歌だと思うからいけねぇのす」

とジャナリが即答した。

「人生の応援歌だと思えばいがっぺ」

稔はなるほどと思った。そしてそれからは四人を圧倒するような声を張りあげた。

駅舎の真向いは青葉通りと言う名の、幅六、七十メートルもある広い道路になっていた。長さも長く、市街を真直ぐに貫通し、市を外から抱くようにしてゆるやかに流れる広瀬川にまで達している。この道路が着工されたころ、あれは米軍の謀略道路だという噂が市内に乱れ飛んだ。アジアに戦争が起きれば、その道路がそのまま米軍の戦闘機や爆撃機の発着する滑走路になるというのだった。稔などはこの噂を頭から信じ込み、朝鮮戦争の最初の一週間、この青葉通りへ日参し、空ばかり見上げていたものだ。むろん、その噂はだれかの撒いたデマで、飛行機など一機も姿を現わしはしなかった。安心したような、またがっかりしたような、妙な気持だったことを稔は覚えている。

大表札を担いだ五人が、この青葉通りへ辿りついたとき、駅の大時計は十二時を回っていた。青葉通りもすでに暗かった。ただ、歩道の一個所がぼうっと明るく見える。たぶんあれは屋台店の灯だろう。

「腹へったっちゃなァ……」

交代で担いだ大表札は結構重かったし、歌をわめき続けてきたせいもあって、稔たちは空腹で、しかも渇いていた。稔たちはユッへが思わず洩《も》らした呟きに心から同感した。

「入ろう」

俊介が先に立って、油煙と、店に出入りする客の頭の油とでてかてかに光っている暖《の》簾《れん》を撥ねあげた。

屋台なのに驚くほど内部《なか》は広かった。普通の屋台だと、客の坐る床几が一台、正面に置いてあって、それでおしまいなのだが、この屋台は三方に客が坐れる造作《つくり》になっていた。しかも、暖簾のさがった二個所の出入口のほかは板戸でかこってある。これならば屋台客を悩ます雪、雨、風の三悪にも平気だろう。

「いらっしゃい」ともいわずに、葱を刻んでいた主人が、じろりと五人を視た。主人は五十歳前後の眉毛の濃い男、その濃い眉毛のほかに、頭部の恰好に特徴があった。どこから見ても楕円《だえん》形、ラグビーのボールに眼鼻口、そして髪の毛を付けたような感じだ。五人が坐るのと入れかわって立った客が「安《やす》さん、勘定はなんぼだっぺ」と言って楊枝《ようじ》を咥《くわ》えた。それを聞いて安さんというのが主人の通称なのだな、と稔は思った。

客を送り出した安さんは、五人の顔をじっと見て、

「なににすっかね？」

と訊いた。俊介が一同を代表して言った。

「ラーメン五つ。それから咽喉《のど》が渇いているんだけど、ジュースはある？」

「ない」

「サイダーは？」

「それもない」

「そういうものであるのは？」

「ビールと水」

「……じゃぁ、水だ」

「外に水道があんのっしゃ。五人のうちのだれか水を汲んで来てけさい」

ひどく人使いの荒い主人である。俊介がむっとした表情になって、

「それならビール！」

と叫んだ。

その屋台に小一時間ほど坐って、稔たちはビールを三本ほど飲み、ラーメンを一杯ずつ啜った。勘定を払うときになって稔たちの赤い顔がみるみる蒼く変った。誰も金を持

っていなかったのだ。稔たちは俊介を、俊介は稔たちをあてにしていたのである。

「聞いた通りなんだよ、おじさん」

俊介が安さんに頭をさげた。

「でも、金はないけどものならあるんだ。ものでとってくれないかなぁ」

「もの？　ものってなにっしゃ？」

俊介は外に立てかけてあった大表札を屋台の中に運び込んだ。

「ものってこれさ。看板なんだ。これ、置いてくけど、どうだろう？」

安さんは俊介の顔と、彼の襟章と、それから看板とをかわるがわる眺め、

「一高生か。よし、一高生なら貸売りしてやっから、看板は持って帰ったほうがよかっぺ」

といった。

「ありがとう、安さん」

「おっと、金を返しにくっときの目印におらどこの看板もよく憶えておいてけさい。おらどこは『南部軒』つうんだっぺ。わがったな」

頷いて暖簾をわけながら、稔は急に胸が塞ぐのを感じた。本郷で東大生が、戸塚で早大生が、三田で慶大生が、それから帯広で帯広畜産大生がたぶん信用されているのと同じように、この町では一高生が、ときによっては地元の国立大生よりも信用されている。

なのに自分はもうその一高生じゃないんだ……！　ああ、なんだかもっと酒を飲みたいなぁ。

あくる日、稔は朝の十一時ごろ戸棚利用の寝台を降りた。もっと眠っていたかったのだが、母親の吐言《こごと》で目を覚したのである。夢うつつのなかで聞えていた母親の吐言をドーナツ盤のレコードにたとえれば、A面が『こんなにたくさんの表札をどうしたの？』、B面が『窓の外へ本を投げ出すなんてどうかしてんじゃない？』ということになる。このA、B両面を繰返し繰返し聞かせられ、稔は辛抱たまらなくなって布団を蹴ったわけだ。稔はヴォーン・モンローが大好きなのだが、中でもA面が「まぼろしの駅馬車」、B面が「ハーヴェスト・ムーン」という組合せのレコードをたいへんに大事にしている。そのヴォーン・モンローだってこう繰返し聞かされたらきっといやになってしまうだろう。

そんなことを考えながら、稔は裏へ出て、前の夜、退学したんだからもういらないや、と叫んで明り窓から抛り出した教科書や参考書を拾い集めていた。それにしても、退学届の一件を母親にどう話したらいいのだろうか。話すのは簡単だが、そのあとはひと月ぐらい、A面『あなたは軽はずみ』、B面『あなたの行く手を暗い未来が待っている』、この二曲をいやというほど聞かせられるはずである。考えるだけでもうんざりだ。

窓の下の本をあらかた拾い集め、顔を何気なく垣根のあたりへ向けた稔は、おやっという眼になった。垣根の根方に張り板や俎板《まないた》やかまぼこ板などが十数枚、投げ出してある。近づいてよく視ると、それは文字を書いた張り板俎板かまぼこ板、つまり看板や表札だった。

そういえば、今朝の母親の叱言のA面は『こんなにたくさんの表札をどうしたの?』というやつだったが、これがその問題の表札か。稔はその一枚一枚を丹念に検《あらた》めて行った。

『××市役所』『××南署』『××第二女子高等学校』『在日米軍第二十四師団司令部』『日本生花司・秀月堂古流指南』『龍泉院』……。

検めて行くうちに、前夜の記憶がすこしずつ蘇って来、そのたびごとに、稔はひと刷《は》きずつ、顔の色を蒼くして行った。

じつは前の夜、稔たちはいったん出た南部軒へまた舞い戻った。貸売りをきかせて貰えるならこんどはひとりにコップ一杯ずつの酒を、と安さんに頼むためである。安さんははじめのうちは、高校生に酒は売れない、と言っていたが、「ビール売ったんだからいいじゃないか。それにじつはもう高校生ではない」と粘られてコップに酒を注いでくれた。

そのあとのことは跡切れ跡切れにしか憶えていないが、だれかが「表札狩りをしよう」と叫び、残る四人が「よーし」と賛成したことはたしかである。夜明けまでひとり三枚ずつ、できるだけ権威のある建物の看板や表札を集めよう、集合場所は稔の家ということになり、そのしばらくあと稔は南署の前をうろついていたような記憶があった。

（よく見つかんなかったもんだっぺ）

稔は思わず首をすくめ、それらの表札を縁の下に仕舞いはじめた。あとで俊介たちと相談して、このまま隠しておくか、あるいは返却しに行くか決めよう……。

そのとき、垣根に添った裏道で自転車の呼鈴が鳴った。

音のしたほうを振り返ると、裏門校長が自転車を支えて立っていた。

「こげなところでサボってちゃ駄目じゃねぇの、裏門校長。あんだのほかに太鼓鳴らす人はいねぇんだからっしゃ」

「あんだもサボってんじゃねぇのすか」

裏門校長は稔に一矢《いっし》報いた。

「それにいま昼休みだっちゃ、太鼓叩きは一時まで休業なのっしゃ。ところで、これを校長先生から預かってきたっちゃ」

手にしていた紫色の風呂敷包みを稔に差し出しながら、裏門校長が言う。

「包みの中のものを俊介さんやユッヘさんたちにも渡してけさいってしゃ」

ひらべったい包みだった。中には板みたいなものが入っているようである。

「ほんじゃお明日《みようにち》」

裏門校長は鈴を鳴らしながら表通りへ曲っていった。

(なにがお明日だっぺ。退学した以上、こっちにはお明日もお明後日《みようごにち》もお来年《らいねん》もねぇっうのに)

ぶつぶつ言いながら包みを開くと、板みたいなもの、と思ったのは五枚の色紙だった。色紙の中央に、見憶えのある、まるっこいチョロ松の筆で『熟慮断行』と書いてある。色紙の間には、前夜、応援歌一番に酔って正義上戸になっていたとき、五人で書いた退学届が挟み込んであった。

「チョロ松ってわかんねぇなあ。どうもおれにはわかんねぇな。だんだんわかんねぐなるなぁ」

「だんだんわかんねぐなるなんて困ったものっしゃね」

裏口から稔の母が顔を覗かせた。

「それも勉強ば怠けているからでねぇのすか。来春《らいはる》は大学だっちゃ。しっかりしてけさい」

今度の、母の叱言のレコードのA面は『怠けるのはおよし』らしい。そう思った稔は、

「おれ、ちょっと、俊介やユッヘたちのところ廻ってくっぺっちゃ。それがら午後は学

校さ行ぐ」

と声をかけて、登校の用意をするために、明り窓から部屋へ戻った。

「まぁまぁ、あったな所《どこ》から出入りして困った童《わらし》だごど。そっからだっぺ、このごろ悪い友だちが出たり入ったりするのは。そんで酒ばくすねて飲んだくれて……。お前《め》さんがた、酒を飲むにはまだ若すぎっぺ」

母の叱言のレコードがB面の『若すぎる《ツー・ヤング》』に変ったころ、稔はもう玄関から表通りへ飛び出していた。

八

十一月上旬、稔たちの学校は文化祭で賑わった。この文化祭に稔たち五人は例の十数枚の看板や表札を出品した。

ジャナリが教室で隣りの席のやつにほんの笑い話のつもりで「おらだち、じつは二女高の看板ば持ってんのっしゃ」と囁いたのがそもそものきっかけだった。この話がいつの間に伝わったのか、話して二時間もしないうちに、文化祭の実行委員がやってきて「ぜひとも出品してけさい」と申し入れてきたから、稔たちは驚いてしまった。世の中、というか学校も狭いものだ。

二女高の看板のほかに南署の看板などもあるのだが、と稔たちが話すと、出品依頼に来たその実行委員がみるみる興奮しだして、「あんだがたは権力に対して、じつに見事な日常闘争ば展開してんだっぺっちゃ！」と叫んだので、稔たちはまたびっくりしてしまった。ひょっとしたらなにかの発作が起ったのかと思ったほどである。警察の看板を外して持ってくるのが日常闘争家なら、全国の泥棒諸氏はみんな偉大な革命家ということになるのかなぁ、とそのとき稔は首を傾げたものだ。

文化祭第一日目の朝、稔たちは東校舎の廊下の隅に長いテーブルを置き、その上に敷布をかぶせ、表札を並べた。それだけではどうにも寂しいので、壁に次のような文章を記した新聞紙大の紙を貼り出した。

まず大きな文字で、

《今秋、当市のあらゆる建物管理者ならびに世帯主たちの間に異常な恐怖を捲き起した表札盗難事件の全貌がいまここに明らかにされた!》

その下に中位の文字で、

《ここには盗難にあった表札が全部、陳列されています》

さらにその下に小さく、

《いずれも貴重なる盗難品ですから無断で持ち出さないでください》

この最後の文章を書くとき、稔たちはすこし考え込んだものだ。無断で持ち出して来た張本人が、他人に無断で持ち出してはいけませんといえる資格があるのかどうか、よくわからなかったからである。しかし、表札を持っていかれたのでは表札展にならぬので、若干のうしろめたさを覚えながら、結局はこの注意を書き入れることにした。

稔たちはまたチラシを謄写版で刷った。これは全陳列表札のリストで、南署のは校宝、二女高のは校定文化財、米軍キャンプのは自治会宝などという但書がつけてある。むろんこの但書は遊びのつもりである。

　表札展の最初の見物客は三人連れの二女高生だった。三人とも顔や身のこなしに、まだあどけなさが残っていた。きっと一年生なのだろう。

　三人はしばらく不思議そうに自分の学校の大看板を見つめていたが、そのなかのひとりが、番をしていた稔たちにおずおずした口調で訊いた。

「これ、ほんとうに二女高《おらほう》の看板だっぺか？」

　一番近くにいた稔が、その女の子の相手をした。

「みんな本物っしゃ」

「……でも模造品だっぺ？」

「疑い深いんだな。そんなに疑ぐり深いとお嫁さ行けねぇっぺ」

　三人は顔を見合せてくすくす笑った。ユッへがしゃしゃり出て、

「疑ぐる気持もわかっけども、これは本物っしゃ。なにしろ、おらだちがあんたんどこの学校から拝借してきたんだからねす」

と低い声で言った。

「あらら……それ、ほんとすか？」

「ほんとっしゃ」

「よく見つかんなかったねぇ」

「いや、危ぐ見つかるどこだったのよ。ほら、あんたらのとこに斎藤って風紀部長が居っすべ？」

三人が一斉に頷いた。

「あの先生が、表札外している最中さやってきたのっしゃ。そこでおらだちは……」

「なじょしたの？」

「校門のそばの木さこの看板ば小脇にかかえて飛びあがったのっしゃ。そして、斎藤 婆《ばっぱ》が明後日《あさって》のほう見ているうちに屋根伝いに帰ってきたんだっちゃ。これでなかなか苦労があんだべっちゃ」

三人の女子高生は眼をまるくしてユッヘを見ていたが、そのうちに別のひとりが南署の看板を指した。

「南署のときはどうだったっぺ？」

「これがまた大騒ぎだったんだっちゃ」

ユッヘにかわってデコが説明役になった。

「おれを除く四人が、突然、南署の前で喧嘩を始めたのす、もちろん八百長の、嘘んこの喧嘩なんだけっともね。そしたら、入口の番していたお巡りさんが、喧嘩の仲裁さ出《で》張《ば》って行った。そのすきにおれがいただいてきたわけす。そのとき、後ばっか見て走っていたもんだから電柱さ正面衝突。ほら、見てけさい、このおでこの瘤。これはそんときに出来た瘤なのっしゃ」

デコは三人に額《ひたい》の胼胝《たこ》を見せた。ひとりがこわごわそれを指で押した。デコはとても嬉しそうな顔をした。

みんな適当なことを言っているなと思いながら稔はユッヘやデコの話を聞いていた。忍術使いじゃあるまいしそう器用に木の上へ飛びあがったりできるものか。それに電柱に正面衝突して、それぐらいの瘤ですむものか。

……だが考えてみると、ユッヘもデコも、ある意味では嘘をつくよりほかに方法がないことも事実だった。というのは表札を集めまわったあの夜はみんなひどく酔っていて、自分がどこから、どの表札をくすねてきたか、それすらもよくわからないからだ。ユッヘもデコも、真実を語りたく思ってもそれができないのである。

「……この米軍キャンプの表札は、どうやって持って来たのっしゃ」

三番目の女の子が『第二十四師団司令部』と書かれた大きな板を指さして尋ねた。

「よくＭＰに鉄砲を撃たれなかったものだねす？」

たしかに、それを考えるたびに、五人の肌は粟《あわ》の粒でいっぱいになってしまうのだ。だれがやったのかは知らないが、本当に無謀なことを仕出かして呉れたものである。

「……そ、それが二、三発射たれたのさ」

俊介が自信のなさそうな口吻《くちぶり》で女の子たちに言った。

「だけどぼくらは幸運だった。というのは、同じころ、キャンプのちょうど反対側で十数人の黒人兵と白人兵が入りみだれて喧嘩をはじめたんだ。……君たちがMPだったらどっちへ駆けつけるかい？」

「………」

「東で木ッ端が一枚、盗まれようとしている。西では、放っとくと死人の山を築きそうな凄い喧嘩が始まりかけている。さあ、どっちへ行く？」

「西！」

俊介の誘導訊問に女の子たちがようやく乗ってくれた。

「……君たちの判断力ときたらまるでアメリカ人並みだなぁ。まさに国際的だぜ。というのはその夜のMPも君たちと同じ判断をしたんだ」

俊介はよほどほっとしたらしく、女の子たちをやたらと持ちあげた。

「あんたがた三年生だっぺか？」

最初に稔たちに質問の矢を放った女の子が再び訊いてきた。

「そうっしゃ」

と、今度はジャナリがこの好奇心の塊のような女の子の矢面《やおもて》に立った。

「三年の、何組？」

「六組」

　ジャナリの答えを聞くと、その女の子は、さてこそ！　とでもいうように頷き、傍の二人になにか小声で囁いた。そしてそれから女の子たちは声をあげて笑った。

「なにがおかしいンだっぺ」

「わだすの兄ちゃんも去年まで一高さ居《え》たんだけっとも、一年から三年までずうっと一組だったっちゃ」

　笑いながら次の展示場のほうへ歩いて行く女の子たちを見て、稔はあいつ等、最初から眉に唾つけて聞いてたんだな、と思い、急に空しい気分になった。

　ふと気が付くと、稔の横で軽石が、教頭の抜け松とこんな話をしていた。

「……だけっとももっしゃ教頭先生、わたしら教師が口をさし挟むべきことじゃねぇと思うのす。文化祭は生徒のお祭なんすから。校長先生もそういう方針ですし……」

「しかし、これじゃまるで旧制高校の寮祭じゃねぇの？」

「……教頭先生はたしか旧制二高の明善寮の寮長してらっしたときましたがなっす、そりゃほんとすか？」

「ああ。ほんとっしゃ」

「明善寮の生活はどうだったたっぺす？」

「それはきみ、自由で楽しかったたっぺ、大いに愉快だったたっちゃ。だけっとももう時代が違うのっしゃ。今はアメリカさんの学制でやっとるのすから」

「だどもその学制の中で学ぶのは日本人っしゃ、教えるのも日本人っしゃ。せめて文化祭ぐらい旧制高校風にやってもええんでねぇすか？」

「……ふーん、だけっともねぇ、とにかくわしは知りませんちゃ」

抜け松はそう言い捨てて廊下を遠ざかっていった。

文化祭第二日。朝飯を掻き込みながら河北新報を眺めていた稔は、ある小さな記事に眼をとめて、愕《おどろ》きの余り口中の飯の塊《かたまり》を思わず丸呑みにしてしまった。その記事は、《事は旧聞に属するが半月ほど前、市内の各所で表札泥棒が横行し、良識ある市民の眉をひそめさせたことがある。このほどこの表札泥が意外にも県内有数の名門高校の生徒だったことが判明した》で始まり、《……犯人の生徒数名は盗んだ表札を堂々と文化祭に出品……》と続き、《……これは悪戯《いたずら》の域を越えており、むしろ犯罪というべきである》という某教育評論家のコメントで締めくくられていた。

稔は朝食の箸を途中で置き、俊介やユッへたちを誘って登校し、表札を一枚残らず引き揚げ、縁の下や天井裏に匿した。

文化祭第三日。朝飯をとりながら河北新報を睨んでいた稔は、次のような記事を見付けて、思わず味噌汁を膝の上にこぼしてしまった。

　その記事は《民主婦人会の月例会にゲスト講師として出席した第二十四師団司令官ウィリアム・ヒューズ少将夫人シェリーさん（43）は、席上、いま話題になっている「名門高校生表札泥事件」について次のように語って、出席した婦人たちに深い感銘を与えた》で始まり、《「……いずれにしてもアメリカでは想像もつかない事件です」以上が夫人の談話の要旨である》と終っていた。

　稔はその日、映画を三本はしごした。

　文化祭最終日。朝食をとる元気もなく寝床の中で河北新報に目を走らせていた稔は、次のような見出しに射竦《いすく》められ、躰を硬くした。

《名門高校生表札泥事件新たな展開へ。沈黙を守る松田一高校長を県教委が非難》

　稔は、間もなく集まってきた俊介やユッヘたちと一緒に、隠しておいた表札を出して風呂を焚き、五人で順番に湯に漬《つか》った。

「……風呂の中で考えたんだけど、こんどこそ間違いないぜ」

　風呂からあがって階段部屋に戻って来た俊介が、稔たちにいきなりこう言った。戸棚や寝台や机の上や階段に腰をおろして、ぼんやり考えごとをしていた稔たちは、いかにも確信のありそうなその語調に愕いたような眼を俊介に向けた。

「退学だよ」

俊介は寝台のユッへの隣りに腰をおろした。

「この名門高校表札泥事件の責任はきっと取らせられるぜ」

「多分、そういうことになるっぺね」

ジャナリが首振人形のように何度も頷いた。

「なんつったっておらだちの責任だつぅごとははっきりしてるもんね」

しばらくの間、部屋に沈黙が君臨する。やがてデコがぼやきの口調で言った。

「ああ、おらだちは馬鹿だ。ほんとに馬鹿の寄り合いだっぺ」

「いま気がついたみてぇに言うな」

とユッへが顎の鬚《ひげ》を毟《むし》った。

「おらだちの馬鹿は最初からだっぺ」

「そんじゃねぇ。表札燃しちまったのが馬鹿だったたつぅの。あれを持って警察さ、ごめんなしてくないと自首して出れば、罪一等を減じられて、退学しねぇですむかもしれなかったたっぺ。灰を持ってったたってだめだべねぇ」

「だめだっぺ」

ユッへが否定した。

「やっぱりねぇ。……でみんな、退学になったらどうすんのっしゃ？」

「どっか私立の高校へ入れてもらうほかねぇな。うん、そうっしゃ」

　とジャナリがみんなの顔を見わたした。

「また皆で同じ私立さ行《え》ぐか？」

「それはごめん蒙《こうむ》っぺ」

　と言いながらユッへが二本いっしょに鬚を毟って、顔をしかめた。

「おめだちといると碌なことねぇべ」

「どうせ高校ば変るなら……」

　デコが顔をあげて眼を輝かせた。

「私立の女子校さ行《え》ぐぞ」

「だめだっぺ」

　ユッへがまた厳しく否定した。さっきから壁を見ていた稔が、その壁に鋲《びょう》で止めてあった書類を指さした。

「退学が間違いねぇとなると、あれはどう書いたらよかっぺ？」

　稔の指したものは受験志望校調書である。第一志望から第三志望まで書き入れて軽石へ提出すれば、第一は無理、第二も望み薄、やっぱり第三志望校に絞れなどと軽石が相談に乗ってくれることになっている。

　稔たちは黙ってその書類を見つめていた。長い間じっと睨《にら》んでいると、その書類は、はるか彼方《かなた》に浮んでいるように思えてきた。

これは眼の錯覚じゃない、と稔は凝視を続けながら思った。錯覚なんかではなくて、ほんとうに自分たちはあの書類には手の届かない身の上になってしまったんだ。

やがて俊介がぽつりと呟いた。

「どうせ退学なら、東京大学法学部と書いて出すか……」

学校が再び始まった。

稔たちはいつ校長室に呼び出されて退学を申し渡されるのかと、おっかなびっくりで一日、二日と学校へ通った。生徒のなかには「おっ、あれが名門高校表札泥事件の共同正犯の五人だぞ」と、軽蔑するような、それで尊敬の念も混った眼付きで稔たちを視るのもいた。しかし、教師たちは五人になにもいわなかった。

学校が始まって三日目の朝、土間に配達された河北新報を何気なく拾い上げた稔は、第一面下段に並んでる小さな活字を見て、あっと息を呑んだ。

小さな活字はこう報じていた。

《県教委人事・松田信明一高校長は一身上の都合により依願退職。当分の間、松下章教頭が校長事務を代行》

その小さな活字の一群は稔の眼から脳へ進攻、その日は半日、脳の中でいっときもじっとしていなかった。そのせいかどうか、ものを稔は見ても視えず、なにを聞いても聴えず、ただ呆然として、午前中の授業を過した。

昼休み、軽石が教室へ現われて稔たちに、第三会議室へ来るようにと言った。

(とうとう来たったちゃ)

と稔は思った。

(退学の時が来たっちゃ……)

稔たちが第三会議室に入って行くと、軽石は難しい顔をして書類に眼を落していた。この第三会議室は、いわば稔たちの学校の進学受験センターといったところで、壁にはいろんなグラフが貼ってある。

「……まぁ、かけろ」

軽石が顎を上から下へ振った。稔たちは地雷の上にでも坐るところだといった動作で、おずおずと椅子に腰をおろした。軽石の眼がまた書類の上へ戻る。

(あれは多分退学手続の書類かなんかだっちゃ……)

稔たちは幾度となく生唾を呑みこみながら、軽石の第一声を待った。やがて、軽石が言った。

「おまえたちはすこしふざけが過ぎるんでねぇの?」

やっぱりそうだ。まず、表札事件に関するお説教があり、その後に退学手続の説明がつづくんだ。

「おまえたちは自分の力をすこし過信しすぎてるっちゃ」

そうかもしれない、と稔はまた思った。なにも南署や米軍キャンプの表札まで手を伸ばすことはないんだ。せいぜい普通の家の表札ぐらいで満足しておくべきだったのだ。そうすれば、ここまで事件は大事《おおごと》になりはしなかったろう。

「東大を狙うのは無理だっちゃ。おまえたちには悪いが、それは断言できる……」

あれ？と稔は軽石の顔を視た。自分たちは東大の看板なぞ狙ったりした憶えはない。だいいち汽車賃使ってわざわざ看板盗みに行くなんて、それはすこし凝りすぎというものだ。

「なにが東大法学部だ。すこし真面目になって考え直して来いっちゃ」

軽石は手に持った書類を稔たちに返した。

それは稔の考えていたような退学手続に関する書類ではなく、その前々日に提出した志望校調書だった。

「おまえたちの学力では東大は夢のまた夢、地元の国立大も夢だ。この学校にはおまえたちも知ってるように本校出身の浪人諸君のための補習科がある。そこで一年みっちり勉強すれば、まぁ、地元の国立大に入れるかも知れね。どうしても国立大を志望するのなら、一年浪人すっことだね。とにかくもう二度と東大法学部などと書かないことっしゃね」

「あのう、ぼくたちが東大法学部を第一志望にしたのは、どうせ退学させられるだろうと思ったからです」

俊介が稔たちの心中も代弁して喋りはじめた。

「退学を覚悟していたからそう書いたんです」

「退学……？」

軽石の眼がかすかに光ったようである。

「退学は学校側で決めることだっちゃ。おまえたちが自分で決めることはねっぺ。おまえたちに退学してもらいたいときはこっちから言う。それは約束するよ……」

「軽……、いや、先生」

ユッヘが軽石に喰らいつくような口調で言った。

「チョロ……いや、松田校長が辞《や》められたつぅのは、おらだちのせいでねぇのすか？」

「そういうごどはいま関係ねぇべ」

「いや、あるんだってば、先生……」

デコが椅子を立って一歩軽石に近寄った。

「おらだちも、学校を辞める覚悟は……まぁ出来てるのす。だからはっきりと教えてけさいや。松田校長が辞められたのはおらだちの責任なんでがすっぺ？　そんで、おらだちは退学になるんでがすぺ？　それがはっきりしねぇうちは、この志望校調書は本気になって書けねぇす。何度、書かせられても東大法学部っしゃ。なんならこんどはプリンストン大学法学部とでも書いてくっぺ」

デコが話している間に、稔たちも椅子を立って、軽石の傍へ寄った。

軽石は五人の顔をゆっくりと見廻し、それからひとつ大きく頷いた。

「松田校長は教育委員会から呼び出しば受けて、おまえたちと文化祭の責任者を処罰せよと勧告されたとき、はっきりとこういわれたのっしゃ。

『校内で起るすべての事の責任はわたしにある。文化祭は生徒の好きなようにやりなさいと実行委員にすべての権限を委ねたのも、もちろんわたしの責任である。あなたがたが文化祭で表札展をやるのがいかんとおっしゃるなら、彼等にやりたいようにやれといったわたしを罰するべきだ。

またわたしは表札狩りやそれに類する行為を罰すべきだとは思わない。だから、わたしの責任においてそれらの行為を黙認してきた。表札狩りを罰するということは、少年を罰するということと同じことだろうと思う。少年と表札狩りはじつは同一不可分のものだと信じているからだ。だが、この表札狩りを悪いことだとあなたがたがおっしゃるのなら、彼等を罰する前に、それを黙認していたわたしを罰するべきだ』

……松田校長は、こう言われて委員の並ぶ机の上に辞表を置かれたんだっちゃ……」

　軽石が語り終えたあとも、稔たちは窓越しに校庭の上に落葉の舞うのをぼんやりと眺めながら、石のように動かずにただじっと立っていた。校庭の老樹たちはこの半年間、稔たちを覆っていてくれた青葉を、近づいてくる冬に奪われてすっかり裸になっていた。窓からは灰色の、うそら寒い空が直接《じか》に望まれて、それが稔にはなんとなく心細く思われた。

　その日の夕方、稔たちは郊外電車に乗って、チョロ松の家へ出かけて行った。四つ目の駅で降りると、目の前は稲刈あとの黒い田圃《たんぼ》で、その向うに数十軒の似たような平屋建ての家が並んでいた。戦後すぐに建てられた市営住宅だそうである。

　軽石の描いてくれた地図を頼りに、その住宅街に入って行った五人は、ある一軒の出入口の横に、俎板《まないた》ほどの真新しい大きな表札が掛っているのを見つけて、どきりとして足を止めた。それには、いつか稔たちがもらった色紙と同じ字で『松田英語塾』と書いてあった。

　通りに面した硝子窓の中から、甲高《かんだか》くて陽気な声が聞えてきた。

（……チョロ松の声だ）

　稔たちはその声をずいぶん長い間、聞かなかったような気がして懐かしく、思わずその窓に寄った。上部が素通《すどお》しになっているので伸びあがると、部屋の中が見える。部屋は六帖ほどの大きさで、襖や壁は新しく張りかえられ、塗り直されている。家そのものに古くて貧相な感じがあるので、その襖や壁の新しさが、稔にはかえって惨めに見えた。

部屋の中には生徒が三人、チョロ松の前に坐っていた。二人は中学生ぐらいの女の子で、もうひとりは二十歳前後の青年である。青年はジャンパーに作業ズボンという恰好で、おそらくこのあたりの農家の伜《せがれ》だろう。

「では、ひとつこれからみなさんにきっと役に立つ記憶ソングをお教えすっぺ」

そんなことを言いながらチョロ松は新聞ほどの大きさの紙を一枚、鋲で壁に貼った。

「これは、英語の月の名を歌にしたもので、作ったのはわしですちゃ。これは〽野毛の山からノーエ、野毛の山からノーゲノサイサイ、という節で歌うのす。いっしょに歌ってみっぺし。ほんじゃはい！」

ジャナリジャナリとヘーブラリ
花の三月マーチましょ
四月エプリルメー五月
六月ジューンにひと目惚れ……

女の子二人はひそひそと私語を交しはじめ、ジャンパーの青年は大欠伸をした。チョロ松だけが陽気に、ありったけの声を張りあげていた。かつて大講堂に轟き渡った声はいまや窓の硝子を空しく震わせているだけである。

家の中に飛び込んでいって三人の生徒に大声で教えてやりたい、と稔はそのとき心から願った。君たちの先生は一高の校長だった人なんだ。偉い人なんだ。チョロ松校長といっしょに歌わなくてはだめじゃないか。しかし、同時に稔は、そんなことはすべきではないとも思った。自分たちはいま見てはならないものを見ている。ここを早く立去るべきじゃないのか。四人も気持は稔と同じと見えて、たがいに目配《めくば》せをしあい、窓の傍から離れた。

「あのう、あんだがた、入塾者の方ですか？」

裏のほうから出てきた四十七、八歳位のおばさんが五人に声をかけた。寂しそうな顔をした痩せた人だが、その寂しそうな顔を精一杯の愛想笑いでつくろっていた。だれかによく似ているのだが、稔にはとっさには思い出せない。

「入塾規則はいま印刷所さ頼んでいるところなのす。で、この塾には英語初級・中級・上級とあって、入塾金はどれも五百円……」

「そ、そうじゃねぇのっす」

ユッへが慌てて手を振った。

「あまり面白《おもし》ぇ歌だったもんだから、無料《ただ》聞きしてたとこなのっしゃ」

おばさんの顔からふうっと笑いが消え、もとの寂しさに戻った。

「……入塾者の方じゃなかったのすか。そうでしたか……」

おばさんは稔に横顔を見せながら、小さな庭の方へ入って行った。その横顔を見て、稔はおばさんがだれと似ていたかに思い当った。

(そうか、多香子ねえさんとそっくりなんだ)

このとき、稔はすべてに思い当った。多香子ねえさんもチョロ松も本気だったんだ。

なぜだかわからないが、稔は心からほっとして、先を行く俊介たちに追いつくために急ぎ足になった。

青葉通りの南部軒に着いたとき、もうあたりは暗くなっていた。

まだ口あけなので、板がこいの内部《うち》に客の姿はなかった。

「安さん、寒いね」

「安さん、ラーメン」

「安さん、早くだよ」

「安さん、すこし大盛にしてけさいね」

「安さん、ただし値段は並で」

五人は挨拶がわりに勝手なことを並べながら板の腰掛けに落ち着いた。

「すこし待ってもらわねばなんねぇ」

安さんは大七輪でおこした炭をふたつの七輪に頒《わ》けている。大七輪では湯をわかし、ふたつの七輪では焼鳥を焙《あぶ》るのだ。

「まだ、やんなくてねぇごとがいっぱいあんのっしゃ」

安さんは当分ラーメンにかかってくれそうもないので、五人は所在なさそうに店の中を眺めまわした。いつもは湯気や油煙や煙草の煙で、蒸気機関車が通り過ぎたあとのトンネルの中みたいに、なにもかも靄《もや》がかかって見えるのに、今夜はちがっている。天井の汚点や真向いの囲い板の節穴までがはっきりと見えている。

俊介がそのうちに、真上を見上げてあっと小さな叫び声をあげた。

「チョロ松の色紙だ」

見ると、油に煤《すす》けて油紙色に染まった色紙が屋台の天井に貼りつけてあった。色紙の文字は例の『熟慮断行』である。

「安さん、あの色紙いつごろからあったんだっぺ？」

ユッヘが訊く。

「いつごろからなんてもんじゃねぇべ。本店創業以来、ずーっと天井さ鎮座ましましてんのっしゃ」

安さんは焼豚《チャーシュー》を細く切りながら答えた。

「手狭《てぜま》だがどうしてもあれを飾っておきたくてねぇ、そこであげなどごさ貼ってあんのっしゃ」

「おれ、そうとは知らねぇでここでずいぶんチョロ松さ悪態ついてたもんね」

とデコが頭を掻いた。

「みんなもなんか悩みごとが出来たら、この南部軒さ来て天井ば見上げっことだ。熟慮断行、これですべての難問は解決だっちゃ」

「安さんが、焼豚ば紙みてェに薄く切るのも熟慮の結果の断行すか？」

ジャナリがからかう。

「そうっしゃ」

と安さんが頷いたとき、店に客が急に立て込みはじめた。安さんは囲い板の突き揚げ窓を押しあげて外を眺め上げた。

「お客さんがどうも急にたてこむと思ったら、やっぱり雪だっぺ。どうりで夕方から冷えこんだはずだっちゃ」

「それじゃ初雪だっぺ」

と俊介が言った。

「おう、俊介、おめぇいま言葉、訛《なま》ってたっちゃ」

ジャナリに指摘されて俊介は渋い表情になった。

「おれもとうとう田舎っぺか」

安さんが暖簾の近くに坐っていた稔に片手をあげて拝む真似をして言った。

「稔くんよ、悪《わり》ィけども水道から水汲んできてけさいよ」

頷いた稔は、家の用事などここ三年来したことがないのにどうしてこういうところの用事は楽しく出来るのだろうなどと思いながら、安さんから受け取った馬穴《ばけつ》をぶらさげて外へ出た。

外はかなりの風になっていた。風といっしょに大鋸屑《おがくず》のように細《こまか》い雪が飛んでくる。稔は首を縮めながら、歩道を横切り、工事場を囲っている板塀に沿って歩きはじめた。二十メートルほど先に水道があるのだ。

板塀には映画館のポスターが貼ってあった。そのポスターを眼の端に入れながら歩いていた稔は、ある一枚の前でつっと足をとめた。

ポスターの中から誰かが自分に向って声をかけているような気がしたからである。目を近づけてよく見ると、声と思ったのは、ポスターの右上の角が剝《は》がれ、それが風に震えて鳴っている音だった。そして誰かというのは、あの若山ひろ子だった。

それは『十代のあやまち』という映画のポスターで、十人の十代女優が一挙にデビューする性典映画の決定版！　と惹句は説明していた。若山ひろ子は若山浩子と改名していたが、モナリザのような頰笑みは、前とすこしも変っていない。ポスターの、風に震えているあたりに彼女の顔があって、風がポスターの上を通りすぎて行くたびに、ひろ子は稔に挨拶を送っていた。稔はずいぶん長い間、ポスターの前に立っていたが、やがてふと思いついて屋台へ走り、鋲を借りて戻ってきた。

それから稔は、この何カ月かの間にめまぐるしく起った事がらを心に釘付けにしようとでもいうように、震えているその角をしっかりと鋲で止めた。

煙草の益《えき》について――新装版あとがきに代えて

敗戦後の数年間、中学から高校へ進むあいだ、日本列島には、大雑把にいえば、三種類の大人たちがいた。

第一群は、「わたしたち大人はまちがっていた。そのまちがいを子どもたちの前で明らかにしながら、この国の未来を、彼らに託そう」と考えた大人たちである。

第二群の大人たちは、「わたしたちにまちがいがあろうはずはない。しかしいまは連合国軍の管理下にあるから、それを言い立てても仕方がない。しばらくひっそりと息をひそめて復権の機会を待とう」と神妙にしていた。

第三群は、「今日の食べものはあるのか」と目を皿にしていた人たちで、大半の大人が、この第三群だった。

さいわいなことに、わたしの通っていた仙台の高校の先生方《がた》は、ほとんどが第一群に所属する大人たちで、子どもたちの声によく耳を傾けてくれた。

わたしについていえば、二年のとき、「期末試験をフランス語で受けたい」と申し出たことがある。英語の成績があまり芳しくないので、中学生のときから習っているフランス語で点を取ろうとおもいついたのだ。けれども、わたしたちの高校では、英語が第一外国語でドイツ語が第二外国語、フランス語の授業はなかった。普通ならば、「設けられてもいない科目で試験を受けたいとはなにごとだ。いったいおまえはなにを考えているのか」と一喝されておしまいだが、どんなことでも生徒中心に考えようと決心していたらしい先生方は、東北大学フランス文学科の助手を招いて、試験問題を作ってくださった。おかげでわたしはフランス語で全校一になったが、受験者がわたし一人だから全校一は当り前で、もっといえば、「一番にしてビリだった」というのが正確なところだったかもしれない。

こうした例はまだまだあるが、もう一つ。

そのころのわが校は県下の秀才を集めていたので、わたしの能力ではどんなに勉強しても三百人のうちの百番以内に入ることはむずかしかった。こんなありさまではとても学問で身を立てることができないだろうと悟って、「それならば、小説であれ戯曲であれ映画のシナリオであれなんであれ、とにかくおもしろいお話を考える職人になろう」とにわかにおもいつき、担任の先生に、「仙台にくる映画を全部観て、お話の作り方を勉強したい。そのために午後の授業に出ないでもいいですか」と申し出たことがある。午後の授業をさぼってもいいですかと言っているわけだから、即座に「だめだよ」という答が返ってくるにちがいないと半ばあきらめていると、しばらくうんうん唸っていた先生が、「よろしい」とおっしゃったので、かえっておどろいた。先生はつづけて、「ただし、条件が三つある。まず、映画を観ていたという証拠に、半券とその映画の筋書きをくわしく書いて提出しなさい。次に、教科書をよく読むなり友だちからノートを借りるなりして、とにかく単位取得に必要な試験はすべて受けなさい。それから、勉強が手薄になるわけだから、東北大学に進むのはあきらめなさい。そうだな、帯広畜産大学あたりを狙ったらいいだろうね」

帯広畜産大学は、いまや難関校の一つだが、そのころは出来たばかりでまだよく知られていなかったから、先生はわたしの貧弱な学力でも、合格できるかもしれないと考えてくださったのだろう。

こうしてわたしは昼すぎからは天下御免で映画館に出入りすることができるようになり、暗やみの中で、物語の基本のようなものをなんとなく会得できた(ようにおもうのだ)が、この、子どもたちをあくまで信頼しようというやり方は、間もなく姿を消した。昭和二十年代後半から、例の第二群の大人たちが「復古調」というお囃子に合わせて一気に息を吹き返してきて、たちまちのうちに学校を子どもたちを管理する施設に仕立て直してしまったのだ……というわけで、第一群の大人たちが子どもたちの意志を懸命に後押ししていた時代があったことを文字にのこしておきたくて、いまは亡き名編集者の設楽《したら》敦生さんに励まされながらこの小説を書いていたようにおもう。

　仙台の映画館について、いまでもあざやかに覚えているのは、ロビーに何枚も列ねて貼り出されていた専売局の煙草のポスターで——後年、たばこと塩の博物館に行ってたしかめたことがあるが——昭和二十年代中期の映画館には、こんな惹句《じゃっく》のポスターが貼ってあった。

〈みんなで吸おう　明るい煙草〉

　これは闇煙草追放のポスターだった。

〈この一枚　この一本が再建の礎《いしずえ》だ！〉

　この惹句のポスターには小さな活字で、次のように書き添えてあった。

〈国家総予算四七三一億円のうち、専売益金は九四三億円です。国家予算の二〇パーセントが煙草と塩の売り上げ益金で賄われています。教育費、公共事業費、生活保護費、同胞引揚費、住宅復興費その他を、あなたの吸う煙草が支えています。〉

　この効果は絶大なもので、政府ができるだけたくさん教育費を確保できるように、大人になったらすぐ煙草を吸おうと決心した。そして、成人式の日に煙草を買い、それ以来、半世紀にわたって一日に四十本の割で吸いつづけている。このあいだ、暇な折りに計算したところ、これまでに吸った煙草が約七十八万本で、投じた煙草銭が一千百七十万円と出たので仰天した。値段の六割が税金だから、わたしは煙草だけで七百万円余を納税してきたことになる。なんだかバカらしい気もするけれど、立ち昇る煙草の煙を見上げるたびに、かつて第一群の大人たちがたしかに存在していたことを思い出すことができるので、どうやら最後の日までやめられそうにない。

井上ひさし

二〇〇七年十一月

本書は、一九七四年七月刊の文春文庫
『青葉繁れる』の新装版です。

文春文庫

青《あお》葉《ば》繁《しげ》れる

定価はカバーに
表示してあります

2008年1月10日　新装版第1刷
2011年4月5日　第2刷

著　者　井上《いのうえ》ひさし
発行者　村上和宏
発行所　株式会社　文藝春秋

東京都千代田区紀尾井町 3-23　〒102-8008
TEL 03・3265・1211
文藝春秋ホームページ　http://www.bunshun.co.jp
落丁、乱丁本は、お手数ですが小社製作部宛お送り下さい。送料小社負担でお取替致します。

印刷・凸版印刷　製本・加藤製本

Printed in Japan
ISBN978-4-16-711126-7

（　）内は解説者。品切の節はご容赦下さい。

四十一番の少年
井上ひさし
二十数年ぶりに訪れた孤児院で、あの夏の嵐の夜の悲しい出来事が鮮やかに浮かんでくる名品「四十一番の少年」のほか、「汚点」「あくる朝の蟬」の、半自伝風作品全三篇。（百目鬼恭三郎）
い-3-2

本の運命
井上ひさし
本のお蔭で戦争を生き延び、本読みたさに闇屋となり、本の重みで家を潰した著者が語る、楽しく役に立つ読書の極意。氏の十三万冊の蔵書で、故郷に図書館ができるまで。（出久根達郎）
い-3-20

東京セブンローズ（上下）
井上ひさし
ときは昭和二十年。戦局いよいよ望みない世において、東京根津の団扇屋の主人が毎日欠かさず綴った驚倒・讃嘆すべき日記の内容とは。十七年の歳月をかけた著者執念の大作。（松山　巖）
い-3-21

太宰治に聞く
井上ひさし・こまつ座　編著
「嘘が破綻しそうになると、死を決意なさる……。いけませんなあ」と井上氏。「君にいわれたかねえな」と太宰——。爆笑・架空インタビュー、発掘写真、新証言などを満載した傑作評伝。
い-3-24

宮澤賢治に聞く
井上ひさし・こまつ座　編著
「ぼくは聖化されるのはいやです」と賢治。日本一の賢治ファン・井上ひさし氏が、架空インタビューや秘蔵写真で賢治の本音とその生涯に肉薄する。「雨ニモマケズ」の手帖原稿全掲載。
い-3-25

青葉繁れる
井上ひさし
青葉繁れる城下町の東北一の進学校。頭の中はいつも女の子のことばかり。落ちこぼれの男子五人組がまき起こす、愛すべき珍事件の数々。ユーモアと反骨精神溢れる青春文学の金字塔。
い-3-27

手鎖心中
井上ひさし
材木問屋の若旦那、栄次郎は、絵草紙の人気作者になりたいと願うあまり馬鹿馬鹿しい騒ぎを起こし……歌舞伎化もされた直木賞受賞作。表題作ほか「江戸の夕立ち」を収録。（中村勘三郎）
い-3-28

（　）内は解説者。品切の節はご容赦下さい。

池上永一
夏化粧
産婆のオバァのかけたまじないによって、姿を見えなくされてしまった我が子のため、若き母親は「陰」の世界に飛び込んでゆく。美しい南の島の切ないファンタジー。（北上次郎）
い-39-3

池上永一
ぼくのキャノン
豊かで美しい村の守り神である、帝国陸軍の九六式カノン砲「キャノン様」。だがそこには村の運命を左右する、ある秘密が隠されていた。沖縄出身の著者が描くマジックリアリズムの世界。
い-39-4

池上　司
雷撃深度一九・五
密命を帯びた米重巡洋艦インディアナポリスをグアム―レイテ線上で撃沈すべく待ち受ける海軍伊号第五八潜水艦。太平洋戦争における艦艇同士の最後の闘いが開始された。（香山二三郎）
い-45-1

池上　司
ミッドウェイの刺客
日本海軍が大敗したミッドウェイ海戦で、大破した敵空母ヨークタウンをたった一隻で撃沈に向かった潜水艦「伊百六十八」。その戦いの全貌を迫真の筆致で描く戦記小説。（戸高一成）
い-45-2

石田衣良
池袋ウエストゲートパーク
刺す少年、消える少女、潰し合うギャング団……命がけのストリートを軽やかに疾走する若者たちの現在を、クールに鮮烈に描いた人気シリーズ第一弾。表題作など全四篇収録。（池上冬樹）
い-47-1

石田衣良
アキハバラ@DEEP
五人のおたく青年とコスプレ喫茶のアイドルが裏秋葉原で出会ったとき、ネットに革命を起こすeビジネスが始まる！　ドラマ化、映画化され話題沸騰の長篇青春電脳小説。（森川嘉一郎）
い-47-8

伊藤たかみ
ミカ！
思春期の入口に立つ不安定なミカを温かく見守るユウスケ。両親の別居、家出、隠れて飼った動物の死……。流した涙の分だけ幸せになれる。キュートな双子の小学校ライフ。（長嶋　有）
い-55-1

（　）内は解説者。品切の節はご容赦下さい。

伊藤たかみ
指輪をはめたい
三十歳の誕生日までには結婚するのだと誓っていた僕。指輪も買った。誕生日も近い。しかし転んで頭を打った僕は、肝心のプロポーズの相手が誰なのか忘れてしまう。（大島真寿美）
い-55-3

岩井志麻子
黒焦げ美人
妾稼業の姉の家には、岡山ではまれな遊び人たちが集まってくる。でも或る日、姉は殺された。それも全身を黒焦げに焼かれて……。実際の事件に取材した、岩井版「冷血」。（辛酸なめ子）
い-59-1

池井戸　潤
株価暴落
連続爆破事件に襲われた巨大スーパーの緊急追加支援要請を巡って白水銀行審査部の板東は企画部の二戸と対立する。日本経済の闇と向き合うバンカー達を描く傑作金融ミステリー。
い-64-1

池井戸　潤
オレたちバブル入行組
支店長命令で無理に融資を実行した会社が倒産。社長は雲隠れ。上司は責任回避。四面楚歌のオレには債権回収あるのみ……。すべての働く人にエールを送る傑作企業小説。（新野剛志）
い-64-2

池井戸　潤
シャイロックの子供たち
現金紛失事件の後、行員が失踪!?　上がらない成績、叩き上げの誇り、社内恋愛、家族への思い……事件の裏に透ける行員たちの葛藤。働くことの幸福と困難を描く傑作群像劇。（霜月　蒼）
い-64-3

井上荒野
学園のパーシモン
〝赤い手紙のことは高等部に入る前から知っていた〟。二通のパーシモンレッドの手紙が学園に波紋を起こす――十代のきらめくような退廃を描いた大人のための学園小説。（速水由紀子）
い-67-2

伊坂幸太郎
死神の精度
俺が仕事をするといつも降るんだ――七日間の調査の後その人間の生死を決める死神たちは音楽を愛し大抵は死を選ぶ。クールでちょっとズレてる死神が見た六つの人生。（沼野充義）
い-70-1

（　）内は解説者。品切の節はご容赦下さい。

五十嵐貴久
ＴＶＪ
お台場のテレビ局が何者かに占拠された。かつてない劇場型テロに警察は翻弄される。三十歳目前の経理部女子社員が人質となった恋人を救うため、一人で立ち向かう。（温水ゆかり）
い-71-1

宇佐美　游
ＦＯＸＹ
銀座のクラブ「セビリア」の新人ホステス千華は、先輩の繭子から男を手玉に取る極意を学びつつ、売れっ子へとのし上がる。美しさと知力の限りを尽くした女たちの闘い。（倉科　遼）
う-21-1

宇佐美　游
水着のヴィーナス
退屈な日常、危険な恋、そして衝撃の結末……。スポーツクラブに通う女たちのひそやかな悪意と、危険なアバンチュールの結末を鮮やかに描いた表題作他、六つの恋愛短篇集。（藤田香織）
う-21-2

江國香織
赤い長靴
二人なのに一人ぼっち。江國マジックが描き尽くす結婚という不思議な風景。何かが起こる予感をはらみつつ、怖いほど美しい十四の物語が展開する。絶品の連作短篇小説集。（青木淳悟）
え-10-1

江上　剛
非情人事
転籍人事にかちんと来た実力副社長、リストラを完遂した途端に自分の首を斬られた人事部長など、ビジネスマンの複雑な思いと行動を鮮やかな筆致で描いた文庫オリジナル短篇集。
え-11-1

大沢在昌
ニッポン泥棒（上下）
青年は突然告げた。あなたは未来予測ソフト「ヒミコ」の解錠鍵〝アダム四号〟なのだ、と。リアルワールドとインターネットを股にかけた、かつてないサスペンスが幕を開ける！（熊谷直樹）
お-32-5

大沢在昌
魔女の笑窪
闇のコンサルタントとして裏社会を生きる女・水原。男を一瞬で見抜くその能力は、誰にも言えない壮絶な経験から得た代償だった。美しいヒロインが、迫りくる過去と戦う。（青木千恵）
お-32-7